초등 연산의 기준

칸토의 연산

곱셈의 기초와 곱셈구구(1)

머리말

"초등 입학 후 우리 아이가 해야 할 수학은?"

우리 아이가 초등학교에 처음 입학할 때의 모습이 떠오릅니다. 머리도 혼자 감지 못하는 아이가 벌써 초등학생이 되어 많은 아이들과 교실에서 생활한다니 대견스러우면서도 한편으론 '아이가 40분 수업 시간 동안 집중하며 앉아 있을 수 있을까? 소변이라도 보면 어떻게 하지?' 등등 고민이 한가득이었지요.

기대 반 걱정 반으로 하루하루를 보내며 아이는 어느덧 별탈 없이 학교에 잘 적응하는 모습입니다. 걱정이 사라질 즈음 아이는 학교에서 생전 처음 단원 평가라는 시험을 보게 됩니다. 7살 때 100까지 막힘없이 세던 우리 아이라 당연히 100점을 맞았을 거라 생각했지만 아쉽게 한두 개 틀려 옵니다. '실수라고, 다음에 잘하겠지.'라고 넘겨 보지만 100점 맞기는 쉽지 않습니다. 혹시나 해서 "다른 친구들은 어떻게 봤니?"라고 물으면 "누구누구는 100점 맞았어!"라고 자기랑 상관없다는 듯이 무심코 하는 말에 마음이 무너집니다.

아차 싶어 이제부터 친구 엄마들에게 학원, 학습지 등 공부 정보를 수집하며 어떤 선택이 우리 아이에게 최선의 선택일지 갈등과 고민이 시작됩니다. 공부란 것을 제대로 해 보지 못했던 우리 아이는 자기랑 맞지 않는 공부를 부모의 계획에 따르며 어느 순간부터 부모와의 감정싸움이 시작됩니다. 부모님들이 초등 저학년에 많이 겪게 되는 고민거리입니다.

중학교에서 수학을 포기하는 아이들의 상당수가 초등 연산의 기초가 없어서라고 합니다. 자연수, 분수의 사칙연산을 어려워하는 아이들이 정수, 유리수의 사칙연산을 어려워하는 것은 당연합니다.

고등학교에서 수학을 포기하는 아이들의 상당수는 공부하는 습관이 몸에 배어 있지 않아서라고 합니다. 공부 계획을 세우고 공부하는 습관은 학교에서 따로 가르쳐주지 않습니다. 할 줄 아는 아이들만 공부 계획표를 꾸준히 작성하고 실천하지 나머지는 포기합니다. 단시간에 공부습관을 바로잡기는 시간이 너무 부족합니다.

그렇다면 우리 아이가 초등학생 때 해야 할 수학은 무엇일까요?

공부 습관과 수학에 대한 자신감을 기르는 것입니다. 그런데 이 둘은 모두 연산 학습으로 잡을 수 있습니다.

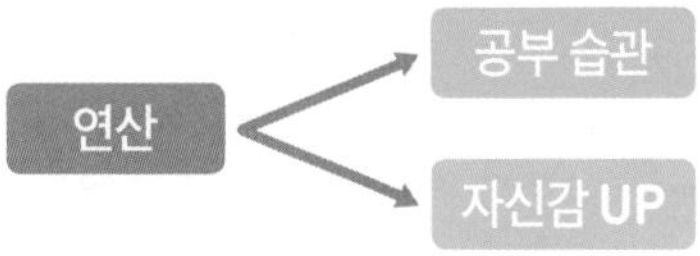

연산은 매일 꾸준히 지치지 않고 하는 것이 핵심입니다. 꾸준한 연산 학습은 연산 실력을 향상시킬 수 있을 뿐만 아니라 앞으로의 공부 습관과 태도를 형성할 수 있는 매우 중요한 학습 방법입니다. 처음에는 개념 위주로 연산의 정확도를 목표로 학습하고 꾸준히 연습하면 속도는 저절로 올라가니 처음부터 속도에 욕심내지 마세요. 그리고 연산 학습과 더불어 공부 시간을 10분, 20분, ……, 60분으로 늘려나가며 공부 체력을 길러 주세요.

연산을 잘하면 무엇이 좋을까요?

수업 시간에 대답도 잘하고 선생님께 칭찬을 받아 자신감이 올라갑니다. 또 아이는 잘하려는 마음이 생겨서 노력하게 되고 성취하게 되며 칭찬을 받게 되는 과정을 되풀이하여 결국 자신감을 넘어 자존감이 올라가게 됩니다.

또한 초등 저학년 수학 내용은 반 이상이 연산이라 연산을 잘하면 저학년 수학을 잘할 수 있습니다. 그리고 도형, 측정과 같은 다른 영역에서 넓이, 부피, 시간, 각도 등을 구할 때에도 연산이 중요하게 사용되므로 결국 수학을 잘한다는 것으로 이어집니다.

초등학교는 대학입시를 준비하는 단계가 아닙니다. 초반부터 무리하게 시작하는 것보다 아이에 맞게 공부 시간과 난이도를 조절해 보세요. 초등 공부 습관과 자신감은 중·고등 시기에 학업 성취를 높여 주는 발판이 될 것입니다. 나아가 하루하루 쌓여 끈기가 되고 인생을 살아가는 지혜가 될 것입니다.

"초등 6년 연산
학년별로 이것만은 꼭 알고 가요."

학년별로 성취해야 할 연산 내용을 미리 살펴보고, 부족한 부분을 정리해 보세요.

자연수	학년	분수·소수
간단한 덧셈·뺄셈 9+3=12　11−5=6	1	
두 자리 수의 덧셈·뺄셈 65+17=82 73−59=14 곱셈구구 2단 ~ 9단	2	
세 자리 수의 덧셈·뺄셈 257+168=425 614−269=345 두·세 자리 수의 곱셈·나눗셈 24×38=912 258÷4=64⋯2	3	「분수와 소수의 개념」
세 자리 수의 곱셈·나눗셈 347×52 =18044 724÷26 =27⋯22	4	분모가 같은 분수의 덧셈·뺄셈 $\frac{3}{5}+\frac{4}{5}=1\frac{2}{5}$ 소수 두 자리 수의 덧셈·뺄셈 2.03+3.78 =5.81
자연수의 혼합 계산 27÷3+(12−4)×5=49	5	분모가 다른 분수의 덧셈·뺄셈 $\frac{3}{4}+\frac{1}{6}=\frac{11}{12}$ 분수·소수의 곱셈 $\frac{2}{3}\times\frac{5}{8}=\frac{5}{12}$ 1.25 × 1.2=1.5
	6	분수·소수의 나눗셈 $\frac{2}{5}\div\frac{4}{7}=\frac{7}{10}$　9.72÷2.7=3.6

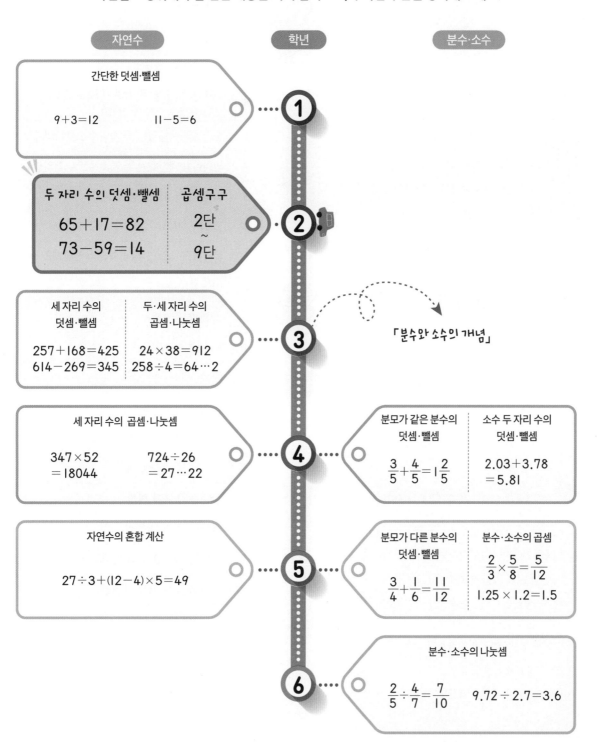

단계별 구성

유아/3단계

단계	권	주제
5세	1	1부터 5까지의 수
	2	6부터 9까지의 수
	3	1부터 9까지의 수
	4	덧셈과 뺄셈의 기초
6세	1	0부터 10까지의 수
	2	10까지의 수에서 더하기·빼기 1
	3	20까지의 수에서 더하기·빼기 1, 10
	4	20까지의 수에서 더하기·빼기 1, 2, 10
7세	1	합이 9까지의 덧셈
	2	9까지의 뺄셈과 덧셈·뺄셈
	3	50까지의 수에서 더하기·빼기 1, 2, 10
	4	받아올림·내림 없는 (두 자리 수±한 자리 수)

초등/6단계

단계	권	주제
초1	1	덧셈구구
	2	뺄셈구구
	3	편리한 계산 전략
	4	100까지의 수, 받아올림·내림 없는 (두 자리 수±두 자리 수)
초2	1	받아올림·내림 있는 (두 자리 수±한 자리 수)
	2	받아올림·내림 있는 (두 자리 수±두 자리 수)
	3	곱셈의 기초와 곱셈구구(1)
	4	곱셈구구(2)
초3	1	받아올림·내림 있는 (세 자리 수±세 자리 수)
	2	나눗셈구구
	3	곱셈과 나눗셈
	4	분수와 소수의 기초
초4	1	큰 수
	2	곱셈과 나눗셈
	3	분모가 같은 분수의 덧셈과 뺄셈
	4	소수의 덧셈과 뺄셈
초5	1	자연수의 혼합 계산
	2	약수와 배수, 약분과 통분
	3	분모가 다른 분수의 덧셈과 뺄셈
	4	분수의 곱셈, 소수의 곱셈
초6	1	분수의 나눗셈
	2	소수의 나눗셈
	3	비와 비율
	4	비례식과 비례배분

칸토의 연산 시리즈

- 연산의 원리부터 재미있는 퍼즐형 문제까지 다루는 기본 난이도의 연산 교재
- 나선형 반복 학습과 확장 커리큘럼
- [칸토의 연산] ➡ [응용 연산]으로 이어지는 기본·심화 연산 학습 설계
- 단계별 4권, 9단계 총 36권 구성
- 한 단계 4개월 완성
- 학년별 교과서 진도와 맞춤 병행

이 책의 구성과 특징

- 하루 2쪽, 매주 5일씩 4주 동안 완성하는 연산 프로그램이에요.
- 연령별 아이의 학습 눈높이와 학습 체력에 맞게 쉬운 난이도와 하루 10분 정도의 학습 분량으로 구성하였어요.

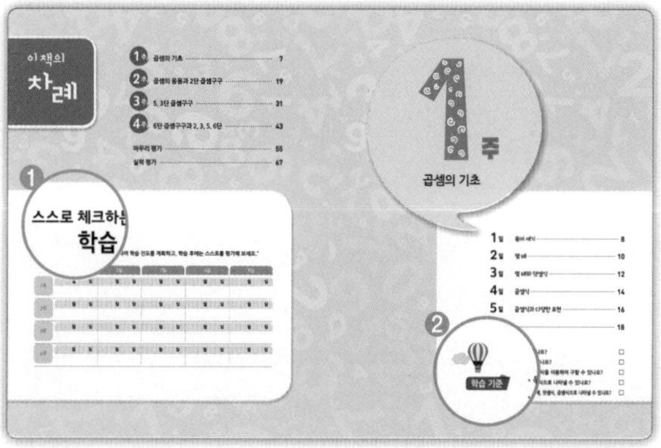

1 학습 안내 무엇을 공부할까요?

❶ 스스로 학습 진도를 계획하고 실천해 보세요.

❷ 이번 주에 꼭 알아야 할 학습 기준을 체크해요.
공부 전에 간단히 살펴보고, 한 주 공부가 끝나면 공부한 내용을 잘 알고 있는지 반드시 확인해 보세요.

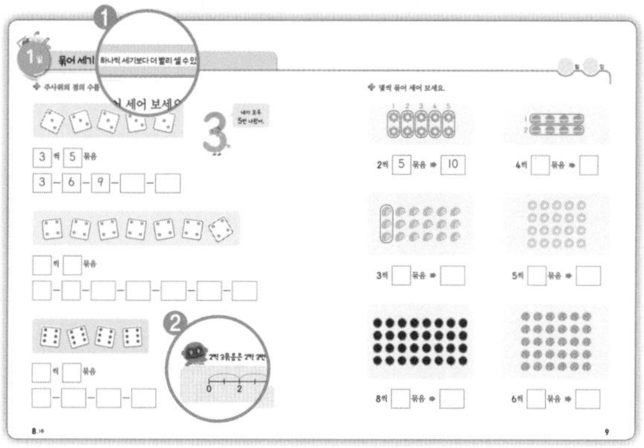

2 일일 학습 매주 5일씩 4주 동안 공부해요.

❶ 일일 학습 목표를 효율적으로 달성하기 위한 학습 목표 및 노하우를 담았어요. 무엇을 공부하는지 미리 알고 가는 공부는 목표 달성률이 훨씬 높답니다.

❷ 연산의 개념, 원리뿐만 아니라 궁금증을 해결할 수 있는 학습 노하우를 꼭 확인하세요.

3 확인 학습

이번 주 배운 내용을 잘 알고 있나요?

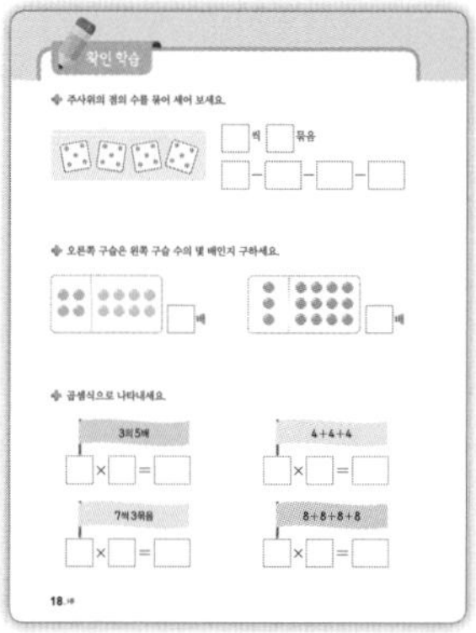

4 마무리 평가+실력 평가

4주 동안 배운 내용을 잘 알고 있나요?

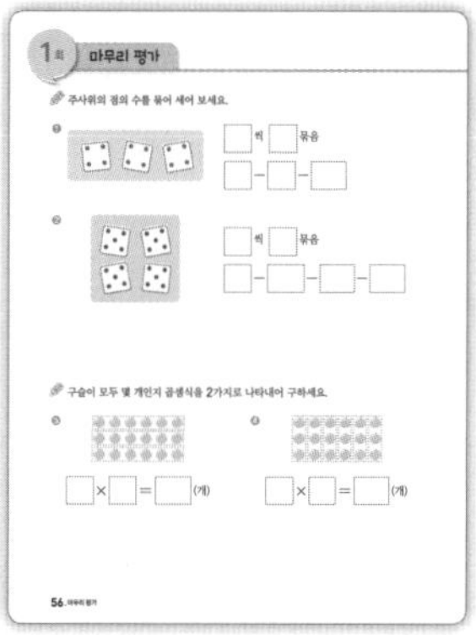

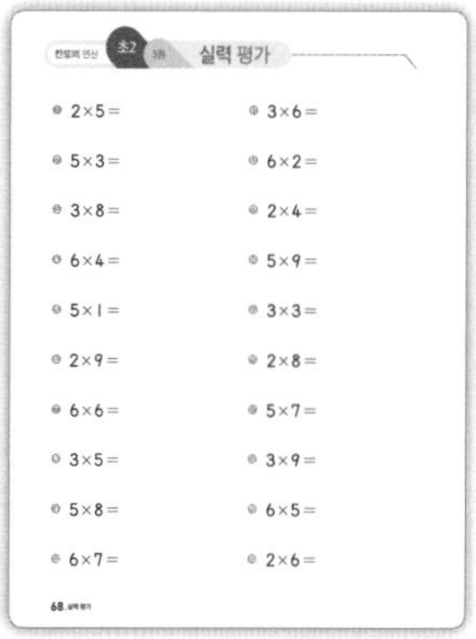

이 책의 차례

스스로 체크하는 학습 진도표

"일일 학습을 시작하기 전에 날짜를 기록하여 학습 진도를 계획하고, 학습 후에는 스스로를 평가해 보세요."

	1일	2일	3일	4일	5일
1주	월 일	월 일	월 일	월 일	월 일
2주	월 일	월 일	월 일	월 일	월 일
3주	월 일	월 일	월 일	월 일	월 일
4주	월 일	월 일	월 일	월 일	월 일

1주

곱셈의 기초

학습 기준

- 묶어서 수를 셀 수 있나요? ☐
- 몇 배의 의미를 알고 있나요? ☐
- 어떤 수의 몇 배를 덧셈식을 이용하여 구할 수 있나요? ☐
- 같은 수의 덧셈을 곱셈식으로 나타낼 수 있나요? ☐
- 같은 수의 덧셈을 묶음, 배, 덧셈식, 곱셈식으로 나타낼 수 있나요? ☐

1일 묶어 세기 는 하나씩 세기보다 더 빨리 셀 수 있는 방법이야.

주사위의 점의 수를 묶어 세어 보세요.

3 씩 5 묶음

3 – 6 – 9 – □ – □

□ 씩 □ 묶음

□ – □ – □ – □ – □ – □ – □

□ 씩 □ 묶음

□ – □ – □ – □

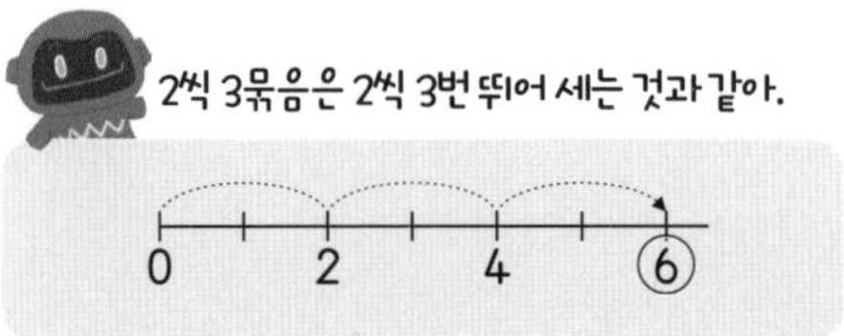

✤ 몇씩 묶어 세어 보세요.

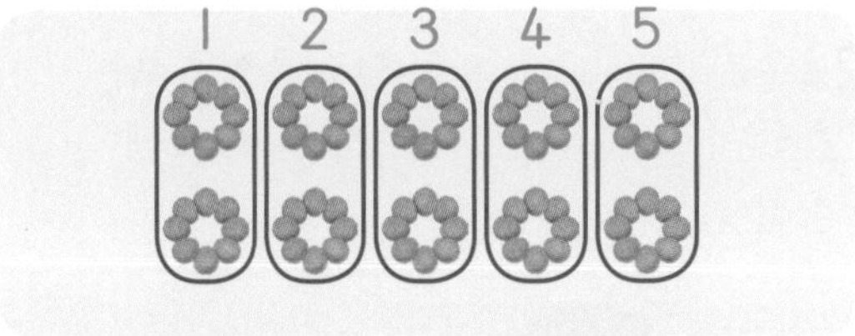

2씩 [5] 묶음 ➡ [10]

4씩 [ ] 묶음 ➡ [ ]

3씩 [ ] 묶음 ➡ [ ]

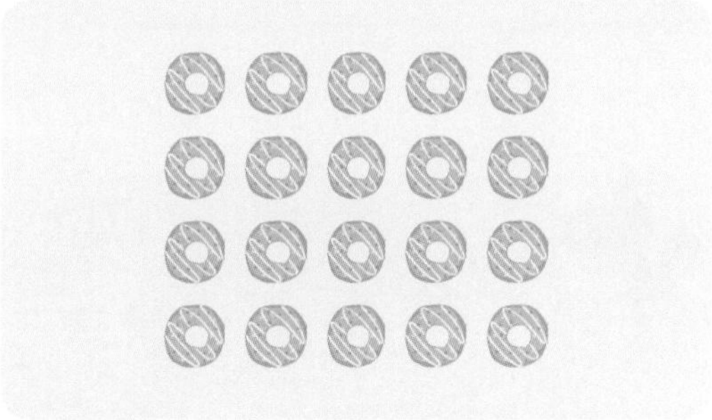

5씩 [ ] 묶음 ➡ [ ]

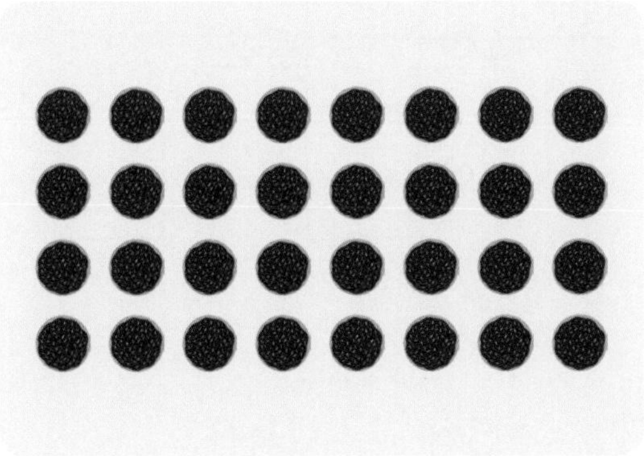

8씩 [ ] 묶음 ➡ [ ]

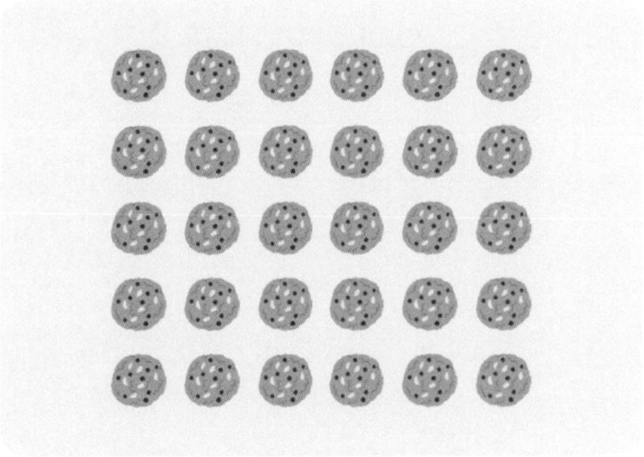

6씩 [ ] 묶음 ➡ [ ]

2일 몇 배 는 묶음의 수야. 2씩 3묶음은 2의 3배라고 해.

빈칸에 알맞은 수를 쓰세요.

3씩 [2] 묶음

3의 [2] 배 ➡ [6]

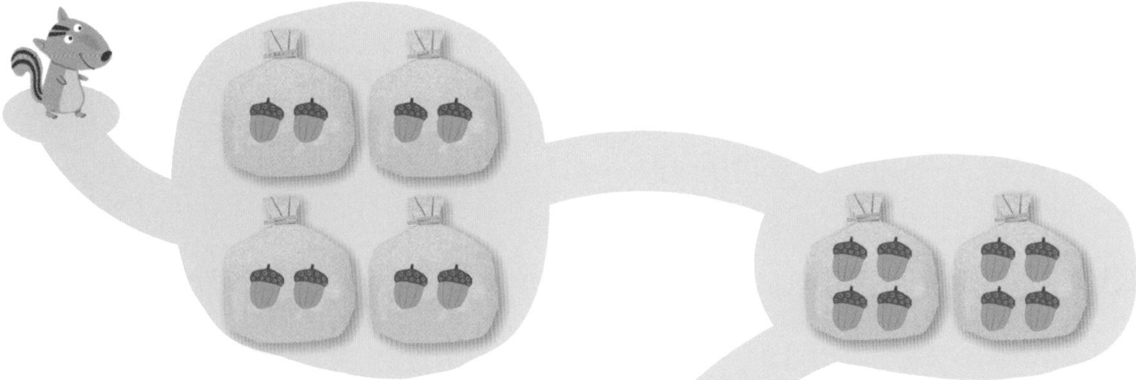

2씩 [ ] 묶음

2의 [ ] 배 ➡ [ ]

4씩 [ ] 묶음

4의 [ ] 배 ➡ [ ]

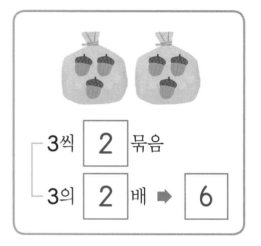

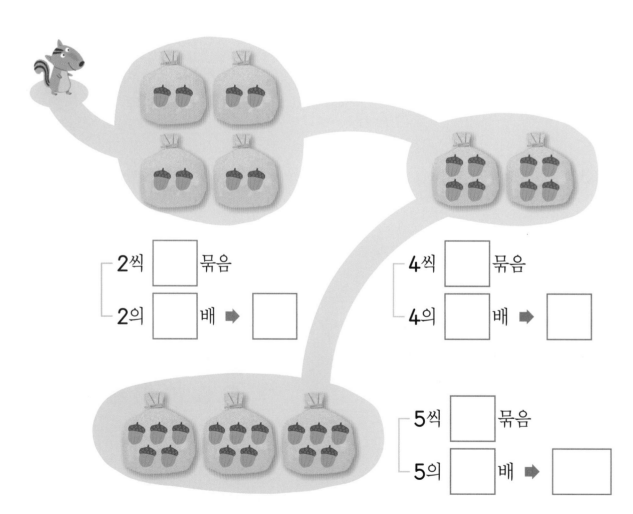

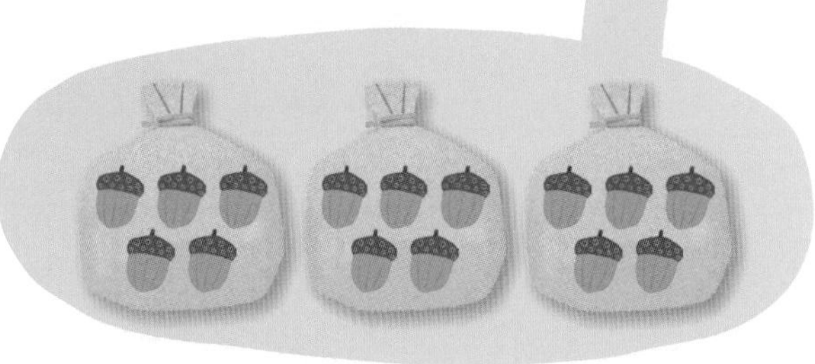

5씩 [ ] 묶음

5의 [ ] 배 ➡ [ ]

오른쪽 두 사람이 가진 과일의 수는 정우가 가진 것의 몇 배인지 쓰세요.

4 배　　□ 배

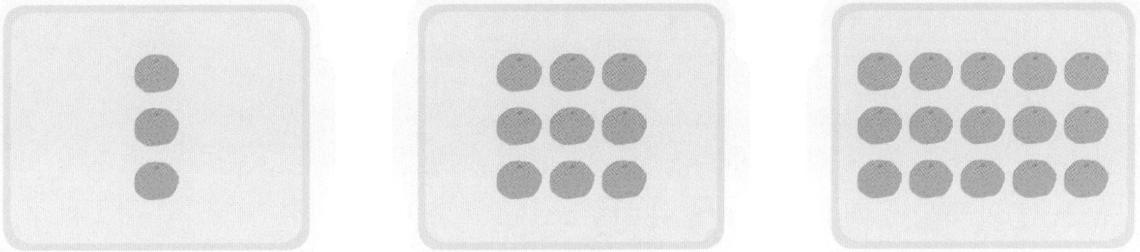

□ 배　　□ 배

□ 배　　□ 배

3일 몇 배와 덧셈식 어떤 수의 몇 배는 덧셈식으로 나타낼 수 있어.

몇의 몇 배를 덧셈식을 이용하여 구하세요.

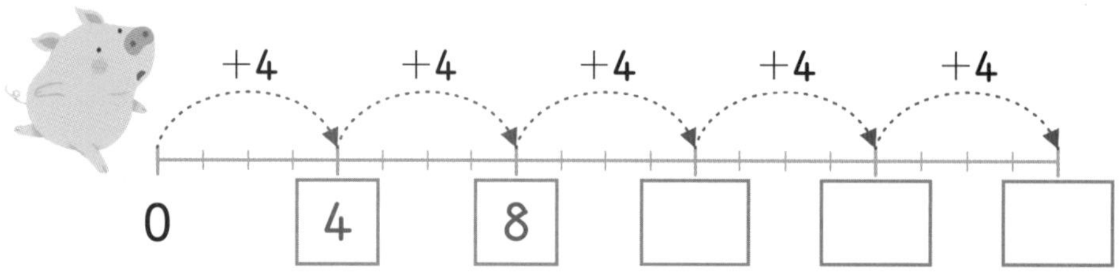

4의 5배 ➡ $4+4+4+4+4=$ ☐

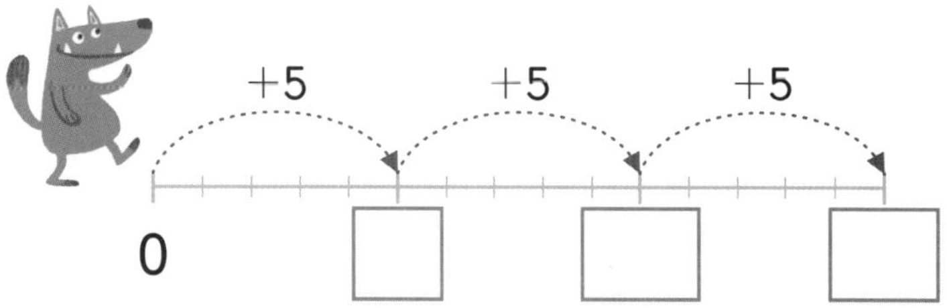

5의 3배 ➡ $5+5+5=$ ☐

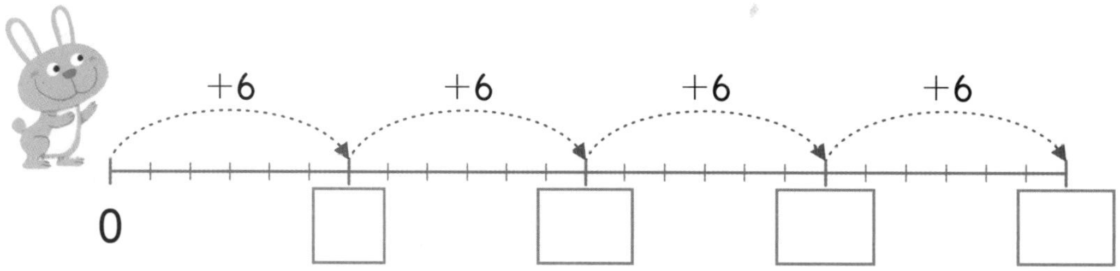

6의 4배 ➡ $6+6+6+6=$ ☐

월 일

몇의 몇 배는 덧셈식으로, 덧셈식은 몇의 몇 배로 나타내세요.

7의 3배 ➡ ______________________

5의 6배 ➡ ______________________

[   ] ➡ $2+2+2+2+2+2+2=14$

[   ] ➡ $9+9+9+9=36$

알맞은 수를 선으로 이으세요.

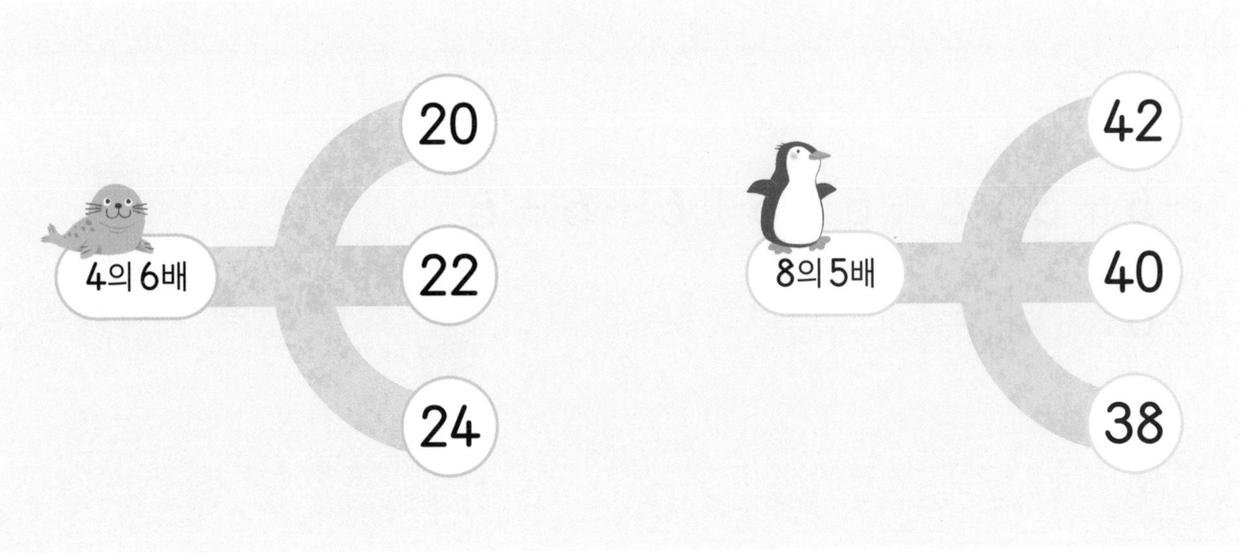

곱셈식 은 같은 수를 여러 번 더하는 덧셈식을 간단히 나타낸 식이야.

➕ 덧셈식을 곱셈식으로 나타내고 곱을 구하세요.

$2+2+2+2$

$2 \times \boxed{4} = \boxed{8}$

 읽기

• 2의 4배는 8입니다.

• 2곱하기 4는 8과 같습니다.

• 2와 4의 곱은 8입니다.

곱셈하여 얻어진 값 ⟶ (곱)

나로 간단하게 나타내니까 편하지?

$7+7+7$

$7 \times \boxed{} = \boxed{}$

$5+5+5+5+5$

$5 \times \boxed{} = \boxed{}$

$3+3+3+3+3+3+3$

$3 \times \boxed{} = \boxed{}$

$8+8+8+8$

$8 \times \boxed{} = \boxed{}$

$6+6+6+6+6+6+6+6$

$6 \times \boxed{} = \boxed{}$

같은 수를 여러 번 더하는 덧셈식을 곱셈식으로 간단히 나타낼 수 있어.

$3+3+3+3+3=3 \times 5=15$

5번

월 일

✚ 관계있는 것끼리 선으로 이으세요.

$4+4+4+4$	7×4	27
$9+9+9$	4×4	16
$7+7+7+7$	9×3	28

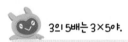

3의 5배는 3×5야.

3의 5배 [쓰기 3×5 / 읽기 3 곱하기 5]

✚ 곱셈식을 덧셈식으로 나타내고 곱을 구하세요.

3×4 ➡ $3+3+$ ____________________

5×3 ➡ ____________________

8×5 ➡ ____________________

5일

곱셈식과 다양한 표현

묶음, 배, 덧셈식, 곱셈식 4가지 표현이 있어.

그림을 보고 4가지 방법으로 나타내세요.

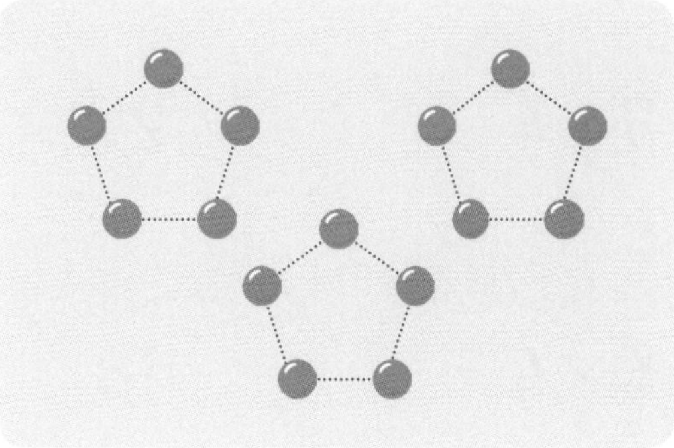

5씩 □ 묶음, 5의 □ 배

5 + 5 + 5 = 15

5 × □ = □

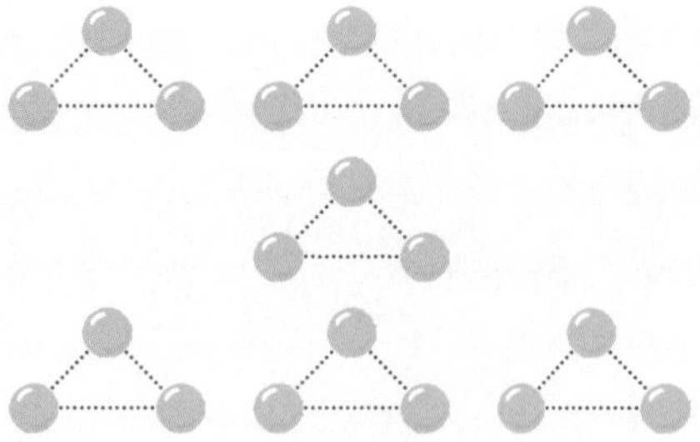

3씩 □ 묶음, 3의 □ 배

3 +

3 × □ = □

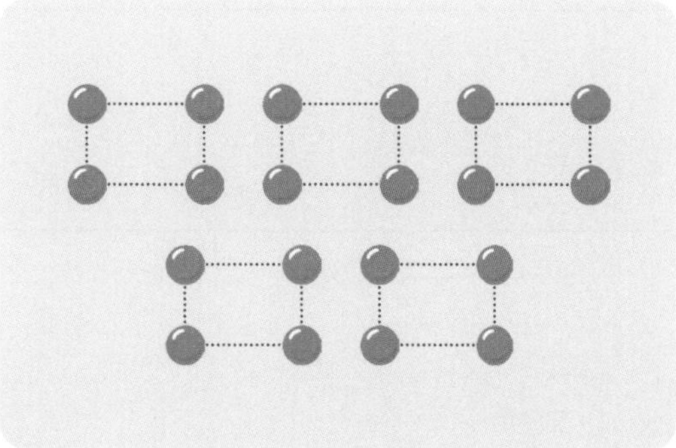

4씩 □ 묶음, 4의 □ 배

4 +

4 × □ = □

곱셈식으로 나타내세요.

2의 5배

□ × □ = □

7+7+7+7+7

□ × □ = □

6씩 2묶음

□ × □ = □

5의 8배

□ × □ = □

3+3+3+3+3+3

□ × □ = □

9씩 4묶음

□ × □ = □

나타내는 수가 다른 하나를 찾아 ╳표 하세요.

8의 2배
8×2
8씩 2묶음
$8+2$

$6+6+6$
6씩 3묶음
$6 \times 6 \times 6$
6의 3배

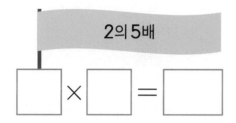

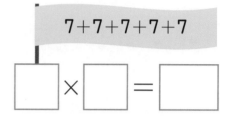

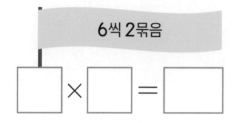

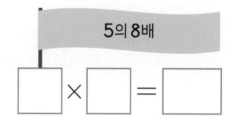

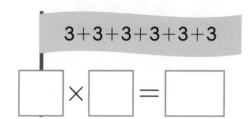

확인 학습

✚ 주사위의 점의 수를 묶어 세어 보세요.

□ 씩 □ 묶음

□ – □ – □ – □

✚ 오른쪽 구슬은 왼쪽 구슬 수의 몇 배인지 구하세요.

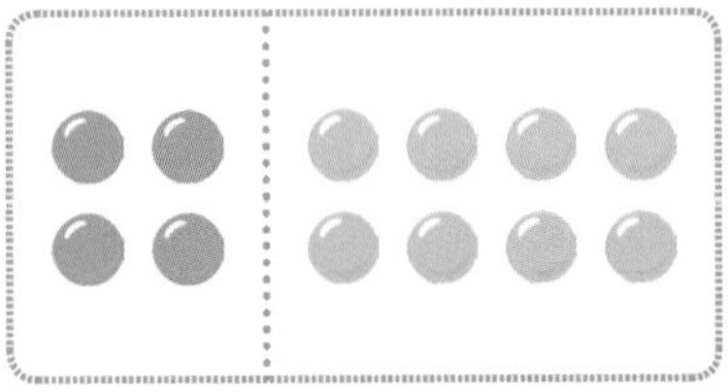

□ 배

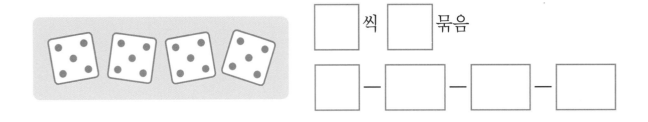

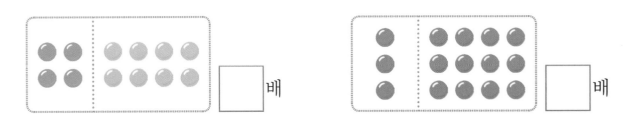

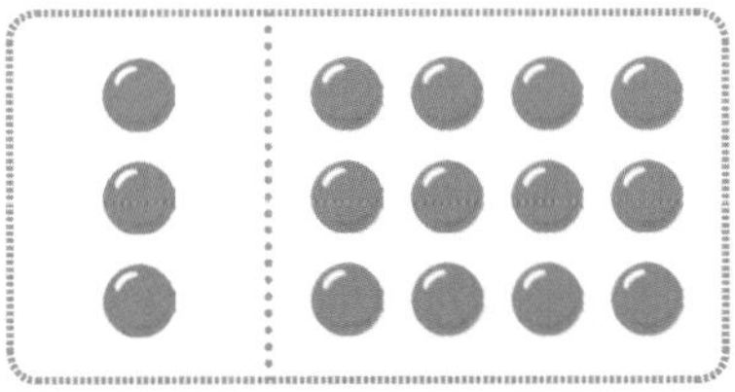

□ 배

✚ 곱셈식으로 나타내세요.

3의 5배

□ × □ = □

4+4+4

□ × □ = □

7씩 3묶음

□ × □ = □

8+8+8+8

□ × □ = □

2주

곱셈의 응용과 2단 곱셈구구

학습 기준

- 곱하는 두 수의 순서를 바꾸어도 곱이 같은지 알고 있나요? ☐
- 곱해지는 수가 같은 두 곱셈식을 더하여 하나로 나타낼 수 있나요? ☐
- 곱해지는 수가 같은 두 곱셈식을 빼서 하나로 나타낼 수 있나요? ☐
- 2단 곱셈구구의 원리를 이해하고 잘 외울 수 있나요? ☐
- 2단 곱셈구구와 관련된 문제를 잘 해결할 수 있나요? ☐

1일 바꾸어 곱하기

곱하는 두 수의 순서를 바꾸어도 곱은 같아.

구슬이 모두 몇 개인지 곱셈식을 2가지로 나타내어 구하세요.

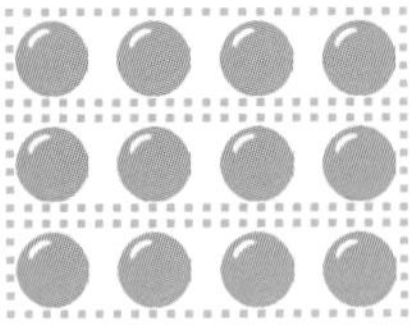

4 × 3 = □ (개)

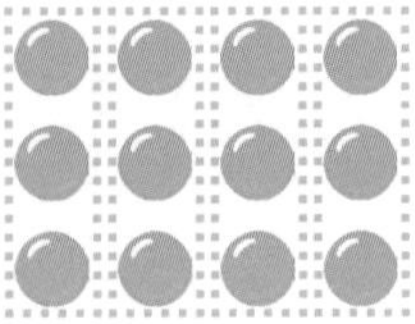

3 × 4 = □ (개)

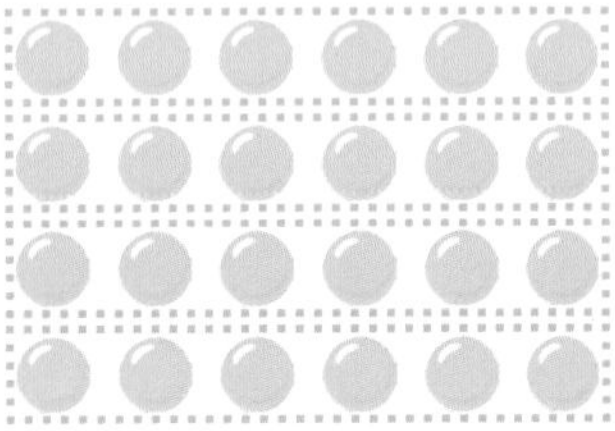

□ × □ = □ (개)

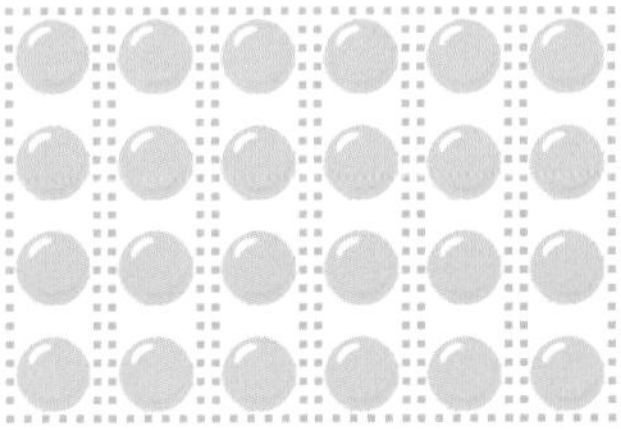

□ × □ = □ (개)

□ × □ = □ (개)

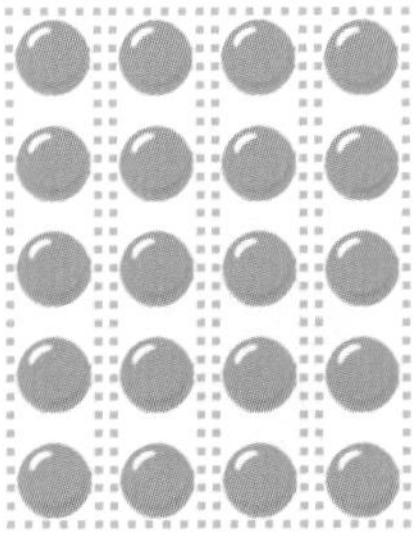

□ × □ = □ (개)

순서를 바꾸어 곱셈을 하세요.

$2 \times 4 = \square$

$4 \times 2 = \square$

$3 \times 5 = \square$

$5 \times 3 = \square$

$4 \times 7 = \square$

$7 \times 4 = \square$

$2 \times 9 = \square$

$9 \times 2 = \square$

곱하는 두 수의 순서를 바꾸어도 곱은 같아.

$● \times ▲ = ▲ \times ●$

빈칸에 알맞은 수를 쓰세요.

$2 \times 5 = 5 \times \square = \square$

$3 \times 4 = \square \times 3 = \square$

$9 \times 3 = 3 \times \square = \square$

$4 \times 8 = \square \times 4 = \square$

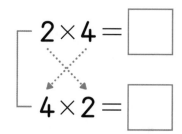

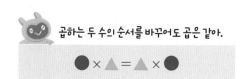

나누어 곱해서 더하기 곱해지는 수가 같은 2개의 곱셈식은 서로 더할 수 있어.

➕ 곱해지는 수가 같은 **2**개의 곱셈식을 더하여 곱을 구하세요.

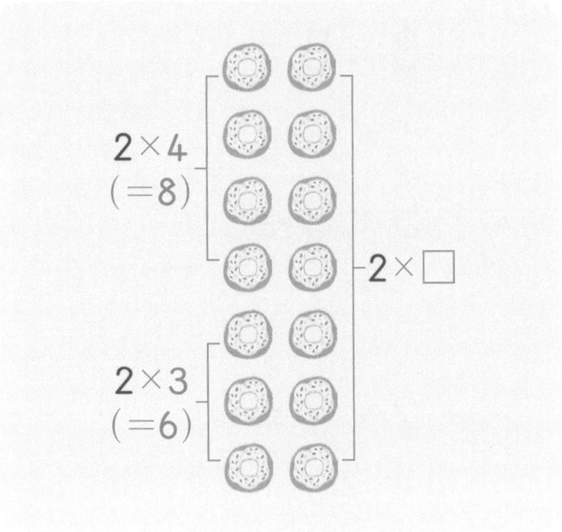

2×4
$(=8)$

$2 \times \square$

2×3
$(=6)$

곱해지는 수

2×4
2씩 4묶음

2×3
2씩 3묶음

$2 \times \square = \square$
　　2씩 □묶음　　8+6

3×2
$(=6)$

$3 \times \square$

3×3
$(=9)$

3×2

3×3

$3 \times \square = \square$
　　3씩 □묶음

5×3
$(=15)$

$5 \times \square$

5×3
$(=15)$

5×3

5×3

$5 \times \square = \square$
　　5씩 □묶음

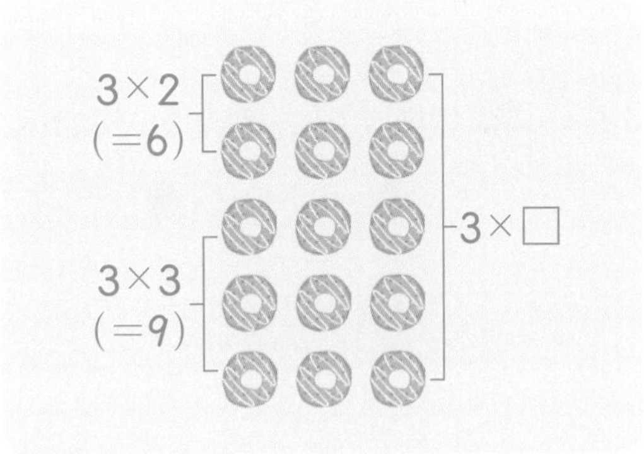

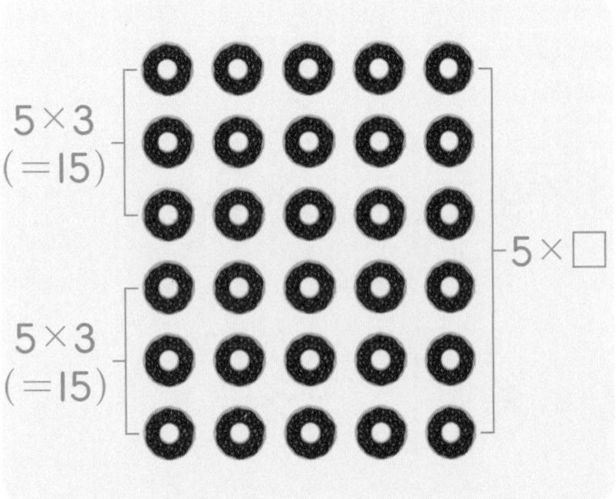

두 곱셈식의 합을 이용하여 곱을 구하세요.

$$\begin{array}{r} 6 \times 3 = 18 \\ +)\ 6 \times 2 = 12 \\ \hline 6 \times \boxed{5} = \boxed{30} \end{array}$$

$$\begin{array}{r} 2 \times 5 = 10 \\ +)\ 2 \times 3 = 6 \\ \hline 2 \times \boxed{} = \boxed{} \end{array}$$

$$\begin{array}{r} 7 \times 2 = 14 \\ +)\ 7 \times 4 = 28 \\ \hline 7 \times \boxed{} = \boxed{} \end{array}$$

$$\begin{array}{r} 9 \times 3 = 27 \\ +)\ 9 \times 1 = 9 \\ \hline 9 \times \boxed{} = \boxed{} \end{array}$$

주어진 곱셈식을 이용하여 곱을 구하세요.

$8 \times 2 = 16$
$8 \times 3 = 24$
$8 \times 6 = 48$

$8 \times 5 = \boxed{}$

$8 \times 8 = \boxed{}$

$8 \times 9 = \boxed{}$

3일 나누어 곱해서 빼기 곱해지는 수가 같은 2개의 곱셈식은 서로 뺄 수 있어.

➕ 곱해지는 수가 같은 2개의 곱셈식을 빼어 곱을 구하세요.

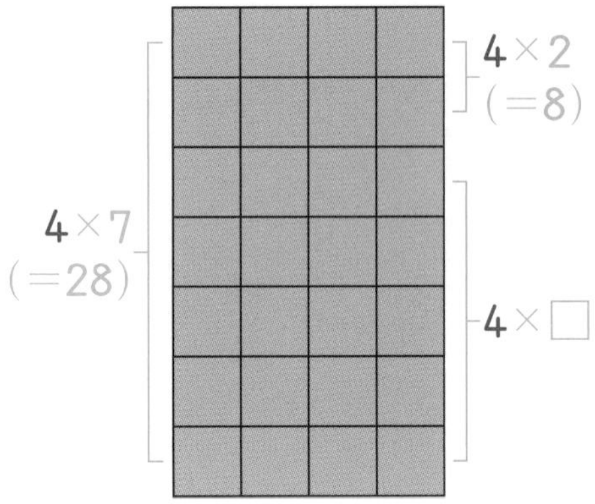

4×7
4씩 7묶음

4×2
4씩 2묶음

$4 \times \boxed{5} = \boxed{20}$
4씩 ☐묶음   28−8

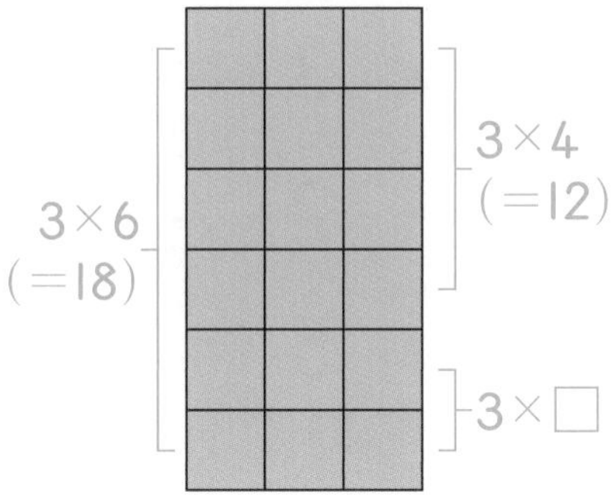

3×6
3씩 6묶음

3×4
3씩 4묶음

$3 \times \boxed{} = \boxed{}$
3씩 ☐묶음

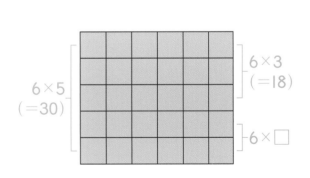

6×5

6×3

$6 \times \boxed{} = \boxed{}$

5×8

5×5

$5 \times \boxed{} = \boxed{}$

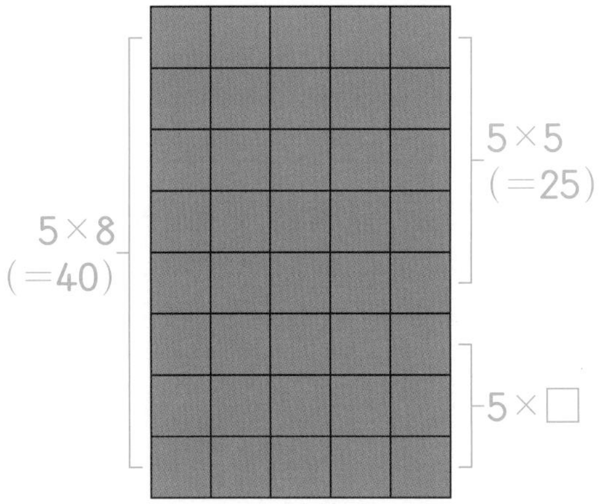

월 일

✚ 관계있는 것끼리 선으로 잇고, 두 곱셈식의 차를 이용하여 곱을 구하세요.

$$\begin{array}{r} 7\times5=35 \\ -)\ 7\times2=14 \\ \hline 7\times3=21 \end{array}$$

$$\begin{array}{r} 4\times8=32 \\ -)\ 4\times3=12 \\ \hline \end{array}$$

$$\begin{array}{r} 5\times8=40 \\ -)\ 5\times1=\ \ 5 \\ \hline \end{array}$$

$$\begin{array}{r} 8\times9=72 \\ -)\ 8\times5=40 \\ \hline \end{array}$$

$$\begin{array}{r} 6\times7=42 \\ -)\ 6\times4=24 \\ \hline \end{array}$$

$8\times4=$ □

$4\times5=$ □

$7\times3=$ 21

$6\times3=$ □

$5\times7=$ □

2단 곱셈구구 는 모두 짝수야.

✚ 2단 곱셈구구를 완성하고 2단을 외워 보세요.

2단

$2 \times 1 = \square$		이일은이
	+2	
$2 \times 2 = \square$		이이는사
	+2	
$2 \times 3 = \square$		이삼은육
	+2	
$2 \times 4 = \square$		이사팔
	+2	
$2 \times 5 = \square$		이오십
	+2	
$2 \times 6 = \square$		이육십이
	+2	
$2 \times 7 = \square$		이칠십사
	+2	
$2 \times 8 = \square$		이팔십육
	+2	
$2 \times 9 = \square$		이구십팔

2단 곱셈구구를 차례로 따라가.

2	3	5	19
4	12	11	18
6	8	10	16
17	9	12	14

7	8	10	12
3	6	7	14
2	4	5	16
5	9	11	18

✚ 알맞은 곱을 찾아 ◯표 하세요.

2×3

4 5

10 6

2×7

12 14

13 16

2×6

8 10

12 6

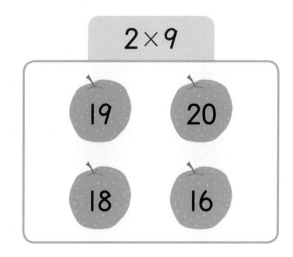

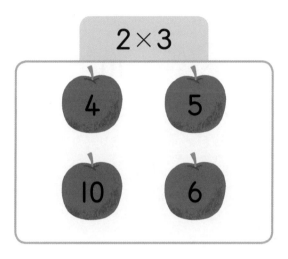

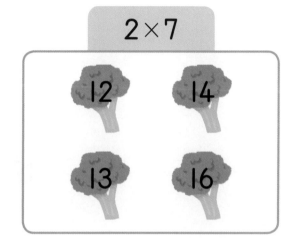

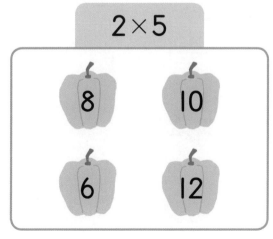

2×5

8 10

6 12

2×9

19 20

18 16

5일 2단 곱셈구구 연습 순서에 관계없이 바로 곱을 말할 수 있어야 해. 이 칠?

곱을 찾아 선으로 이으세요.

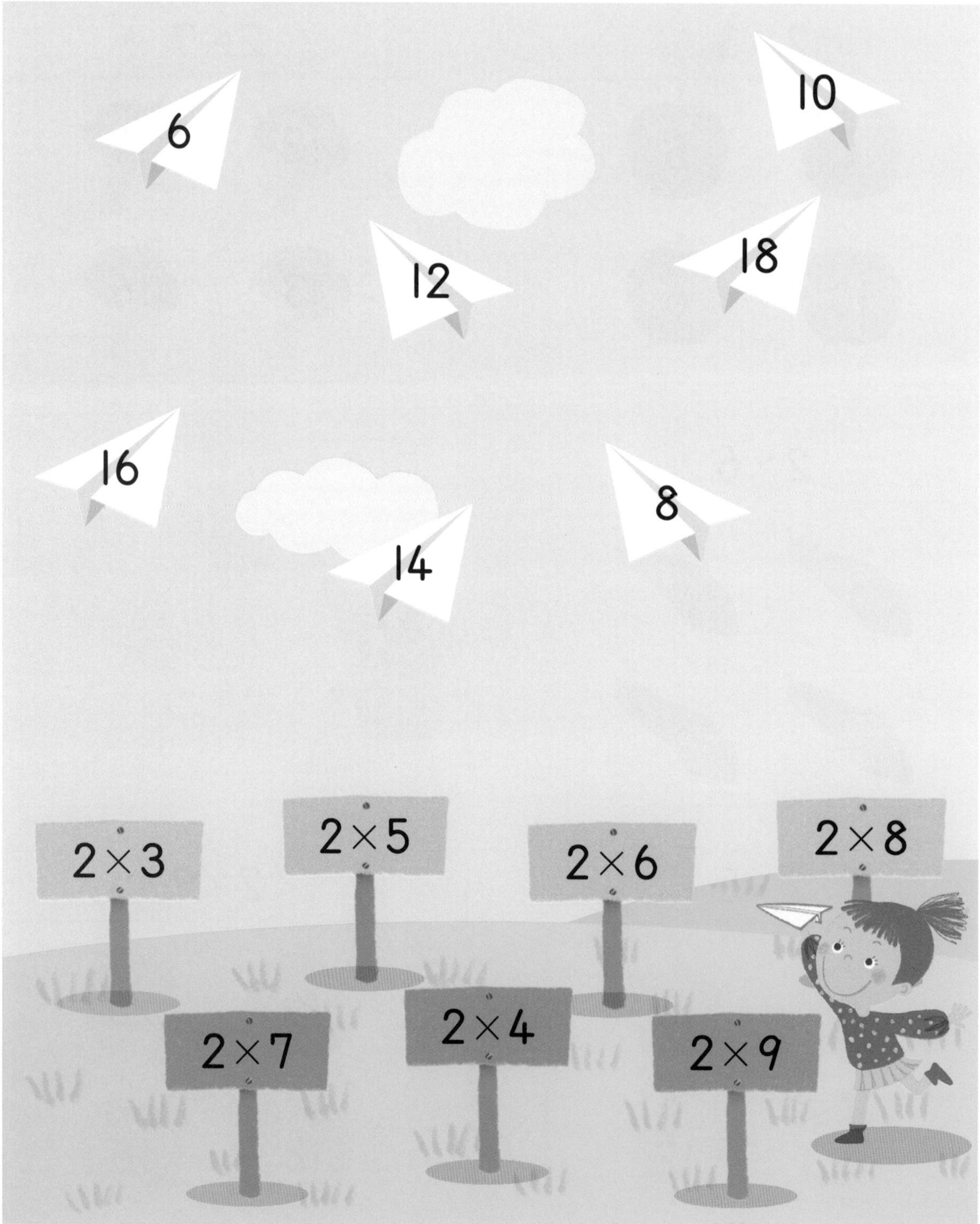

월 일

관계있는 것끼리 선으로 이으세요

$2 \times$

3	6	5	8

12	16	6	10

$2 \times$

7	9	2	6

12	14	4	18

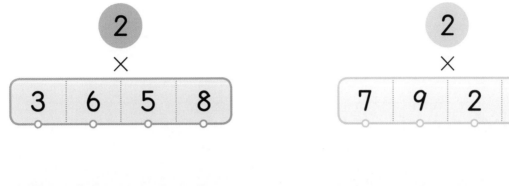

2단 곱셈구구는
18까지 있어.

빈칸에 알맞은 수를 쓰세요.

$2 \times 6 = \square$　　$2 \times 2 = \square$　　$2 \times 5 = \square$

$2 \times 3 = \square$　　$2 \times 9 = \square$　　$2 \times 7 = \square$

$2 \times \square = 10$　　$2 \times \square = 2$　　$2 \times \square = 16$

확인 학습

✚ 구슬이 모두 몇 개인지 곱셈식을 2가지로 나타내어 구하세요.

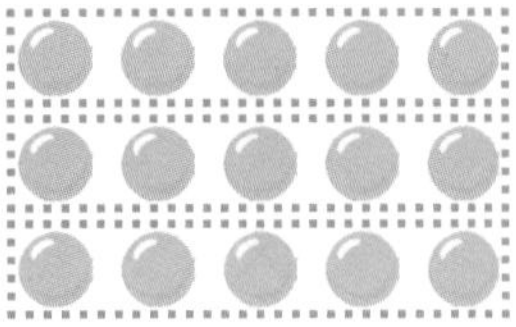

$\square \times \square = \square$

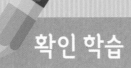

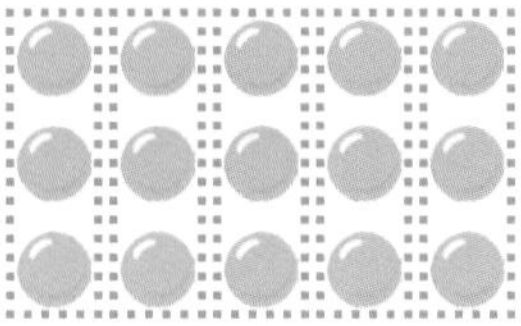

$\square \times \square = \square$

✚ 주어진 곱셈식을 이용하여 곱을 구하세요.

$9 \times 2 = 18$
$9 \times 7 = 63$

$9 \times 5 = \square$

$9 \times 9 = \square$

✚ 빈칸에 알맞은 수를 쓰세요.

$2 \times 7 = \square$　　$2 \times 2 = \square$　　$2 \times 4 = \square$

$2 \times \square = 6$　　$2 \times \square = 18$　　$2 \times \square = 10$

3주

5, 3단 곱셈구구

학습 기준

- 5단 곱셈구구의 원리를 이해하고 잘 외울 수 있나요? ☐
- 5단 곱셈구구와 관련된 문제를 잘 해결할 수 있나요? ☐
- 2, 5단 곱셈구구를 거꾸로 외울 수 있나요? ☐
- 3단 곱셈구구의 원리를 이해하고 잘 외울 수 있나요? ☐
- 3단 곱셈구구와 관련된 문제를 잘 해결할 수 있나요? ☐

1일 5단 곱셈구구 의 일의 자리 수는 5, 0이 반복돼.

5단 곱셈구구를 완성하고 5단을 외워 보세요.

5단

$5 \times 1 =$ ☐		오 일은 오
$5 \times 2 =$ ☐	+5	오 이 십
$5 \times 3 =$ ☐	+5	오 삼 십오
$5 \times 4 =$ ☐	+5	오 사 이십
$5 \times 5 =$ ☐	+5	오 오 이십오
$5 \times 6 =$ ☐	+5	오 육 삼십
$5 \times 7 =$ ☐	+5	오 칠 삼십오
$5 \times 8 =$ ☐	+5	오 팔 사십
$5 \times 9 =$ ☐	+5	오 구 사십오

2시 몇 분이야?

☐ 분 ☐ 분 ☐ 분 ☐ 분 ☐ 분

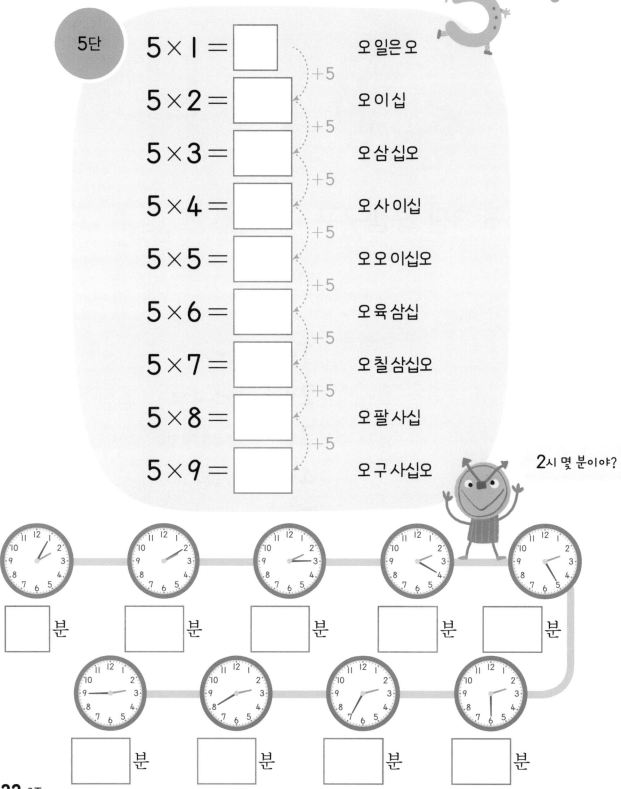

☐ 분 ☐ 분 ☐ 분 ☐ 분

올바른 곱을 따라 길을 그리세요.

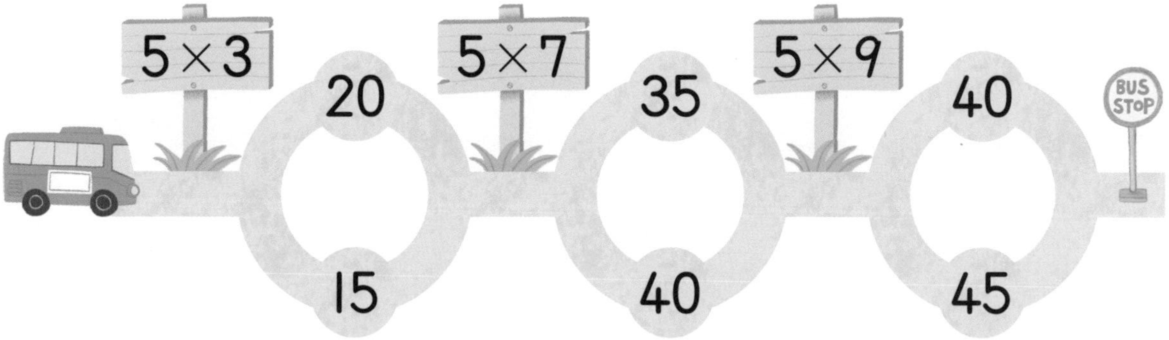

5단 곱셈구구의 일의 자리 수는 5 또는 0이야.

×	1	2	3	4	5	6
5	5	10	15	20	25	30

2일 5단 곱셈구구 연습 오오? 오 팔? 바로 답할 수 있어?

➕ 손가락은 모두 몇 개인지 곱셈식을 써서 구하세요.

$\boxed{5}$ × $\boxed{}$ = $\boxed{}$ (개)

$\boxed{}$ × $\boxed{}$ = $\boxed{}$ (개)

➕ 곱셈을 하세요.

$5 \times 2 = \boxed{}$

$5 \times 7 = \boxed{}$

$5 \times 1 = \boxed{}$

$5 \times 8 = \boxed{}$

$5 \times 3 = \boxed{}$

$5 \times 6 = \boxed{}$

$5 \times 4 = \boxed{}$

$5 \times 9 = \boxed{}$

$5 \times 5 = \boxed{}$

✚ 5와 곱하여 계산 결과가 나오도록 알맞은 나뭇잎에 ◯표 하세요.

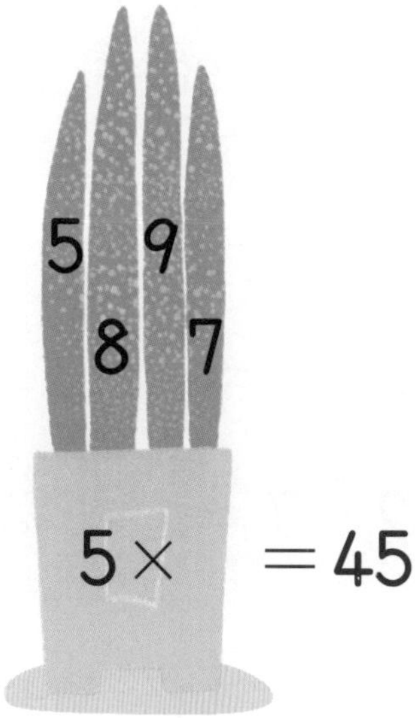

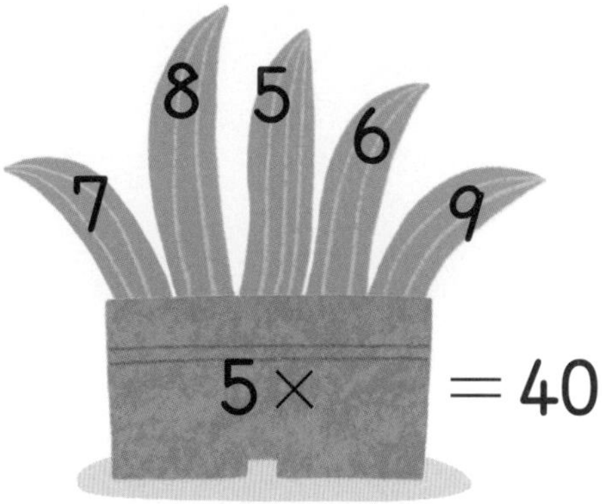

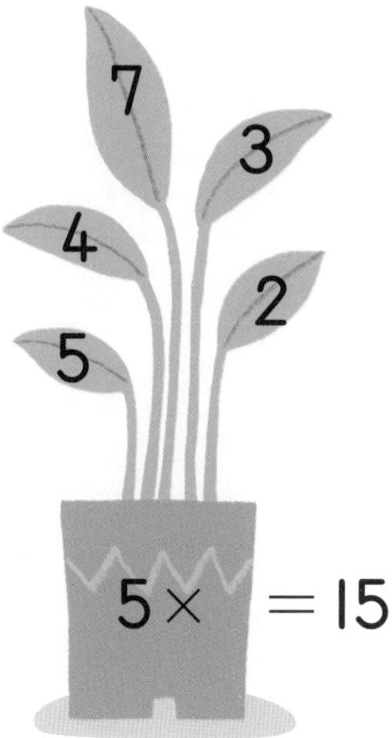

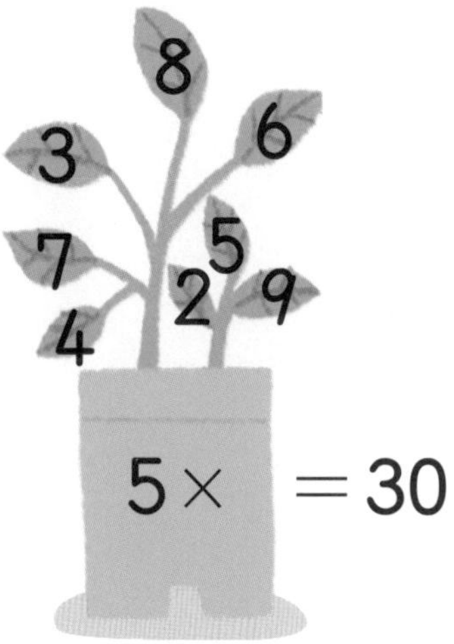

2, 5단 곱셈구구 연습 2, 5단 곱셈구구를 거꾸로 외워 볼래? 진짜 실력자가 될 수 있어.

➕ 2단, 5단 곱셈구구를 거꾸로 완성하고 2단, 5단을 거꾸로 외워 보세요.

2단

$2 \times 9 = \boxed{}$
　—2
$2 \times 8 = \boxed{}$
　—2
$2 \times 7 = \boxed{}$
　—2
$2 \times 6 = \boxed{}$
　—2
$2 \times 5 = \boxed{}$
　—2
$2 \times 4 = \boxed{}$
　—2
$2 \times 3 = \boxed{}$
　—2
$2 \times 2 = \boxed{}$
　—2
$2 \times 1 = \boxed{}$

5단

$5 \times 9 = \boxed{}$
　—5
$5 \times 8 = \boxed{}$
　—5
$5 \times 7 = \boxed{}$
　—5
$5 \times 6 = \boxed{}$
　—5
$5 \times 5 = \boxed{}$
　—5
$5 \times 4 = \boxed{}$
　—5
$5 \times 3 = \boxed{}$
　—5
$5 \times 2 = \boxed{}$
　—5
$5 \times 1 = \boxed{}$

이 구 십팔,
이 팔 십육

배 모양에 사용된 같은 조각을 찾아 곱을 쓰세요.

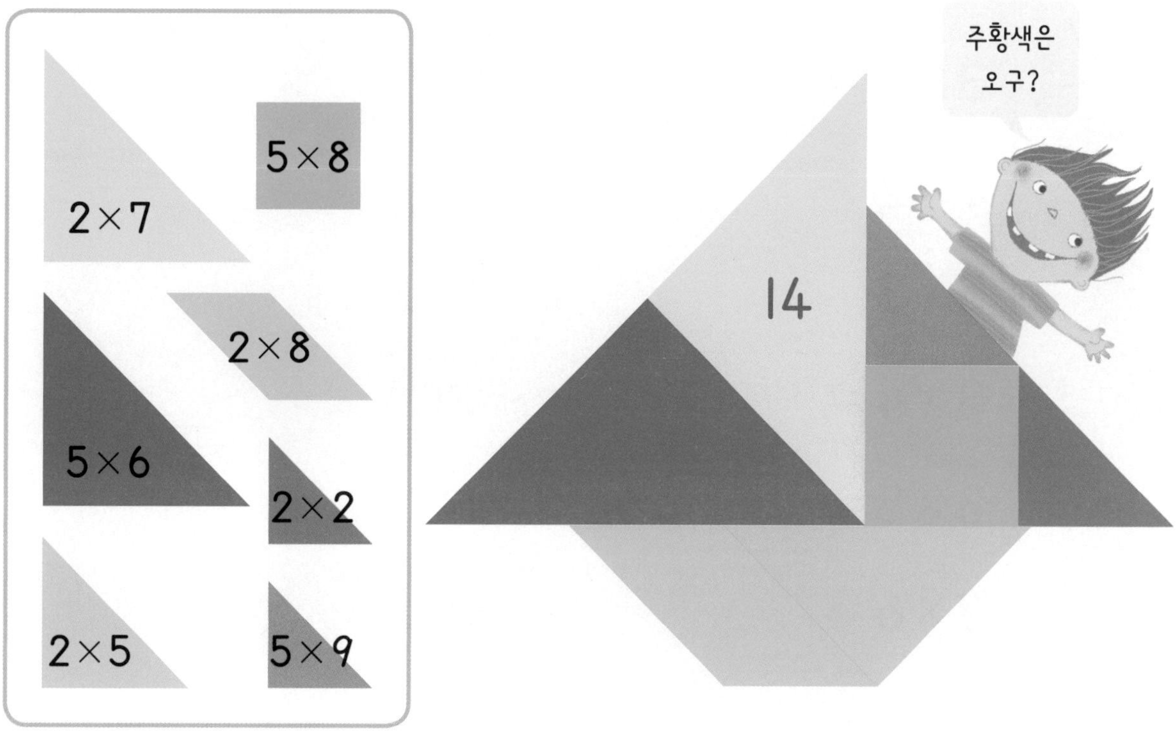

곱셈표를 완성하세요.

×	8	6	3
2	16 (2×8)		
5			

×	7	4	9
2			
5			

3단 곱셈구구 삼~육구, 삼육구! 삼육구 게임을 해 봐!

➕ 3단 곱셈구구를 완성하고 3단을 외워 보세요.

3단

$3 \times 1 = \boxed{}$ 삼일은삼

$+3$

$3 \times 2 = \boxed{}$ 삼이육

$+3$

$3 \times 3 = \boxed{}$ 삼삼구

$+3$

$3 \times 4 = \boxed{}$ 삼사십이

$+3$

$3 \times 5 = \boxed{}$ 삼오십오

$+3$

$3 \times 6 = \boxed{}$ 삼육십팔

$+3$

$3 \times 7 = \boxed{}$ 삼칠이십일

$+3$

$3 \times 8 = \boxed{}$ 삼팔이십사

$+3$

$3 \times 9 = \boxed{}$ 삼구이십칠

3단의 수에는
박수를 치는 거야.
1, 2, 짝, 4, 5, 짝
......

1	2	③	4	5	⑥	7	8	9	10
11	12	13	14	15	16	17	18	19	20
21	22	23	24	25	26	27			

월 일

◆ 알맞은 곱에 ○표 하세요.

3×4	8	11	15	12	14
3×6	12	15	17	20	18
3×3	6	8	9	11	12
3×9	21	27	29	26	28
3×5	12	17	14	15	13

일

3단 곱셈구구 연습 삼오? 삼팔? 바로 답할 수 있어?

➕ 사용한 성냥개비는 모두 몇 개인지 곱셈식을 써서 구하세요.

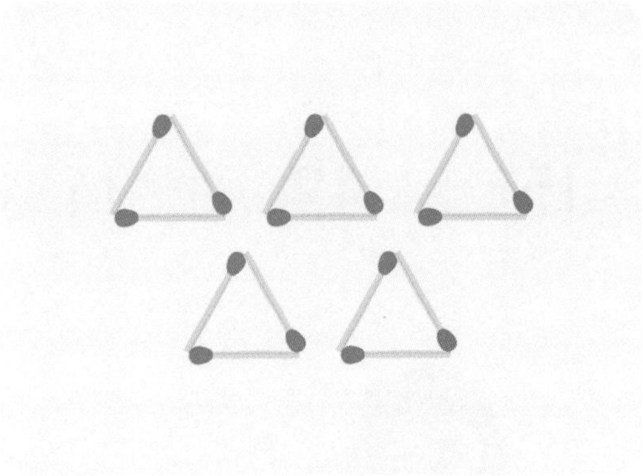

$$\boxed{3} \times \boxed{} = \boxed{} \text{(개)}$$

$$\boxed{} \times \boxed{} = \boxed{} \text{(개)}$$

➕ 곱셈을 하세요.

$3 \times 5 = \boxed{}$ $3 \times 1 = \boxed{}$ $3 \times 6 = \boxed{}$

$3 \times 4 = \boxed{}$ $3 \times 8 = \boxed{}$ $3 \times 7 = \boxed{}$

$$\begin{array}{r} 3 \\ \times\ 3 \\ \hline \boxed{} \end{array}$$

$$\begin{array}{r} 3 \\ \times\ 2 \\ \hline \boxed{} \end{array}$$

$$\begin{array}{r} 3 \\ \times\ 9 \\ \hline \boxed{} \end{array}$$

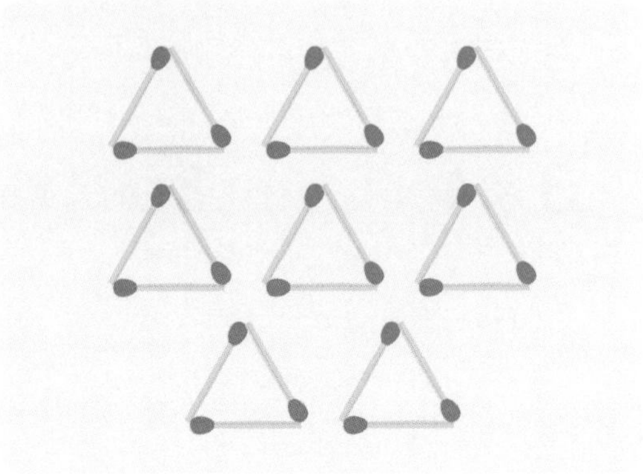

곱셈에 알맞은 길을 그리세요.

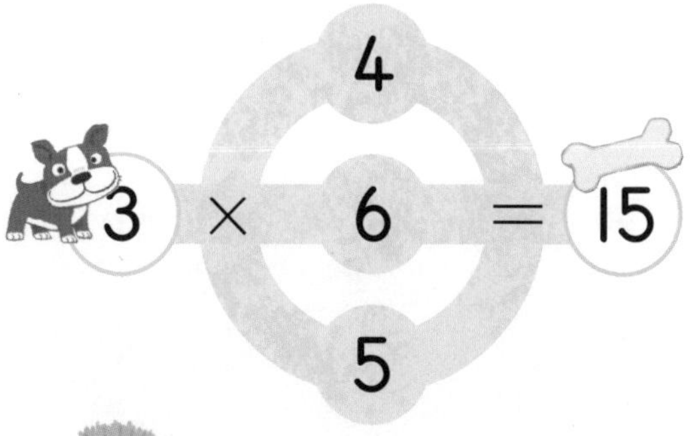

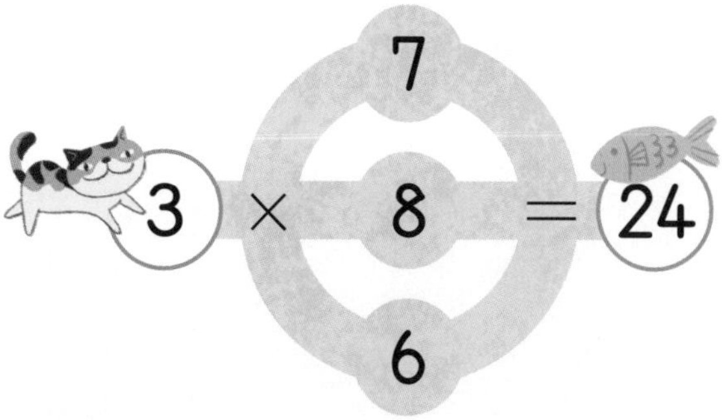

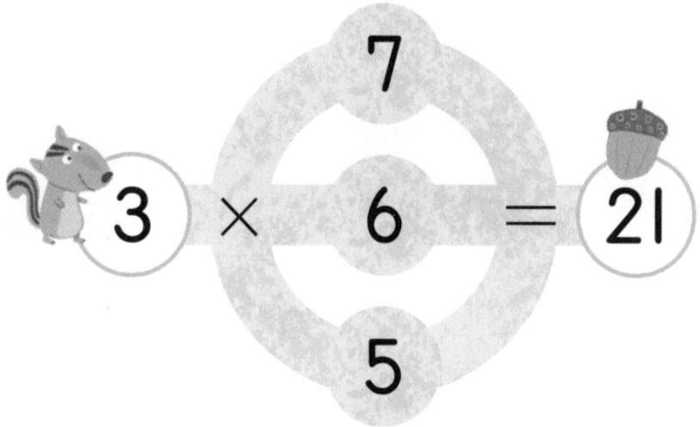

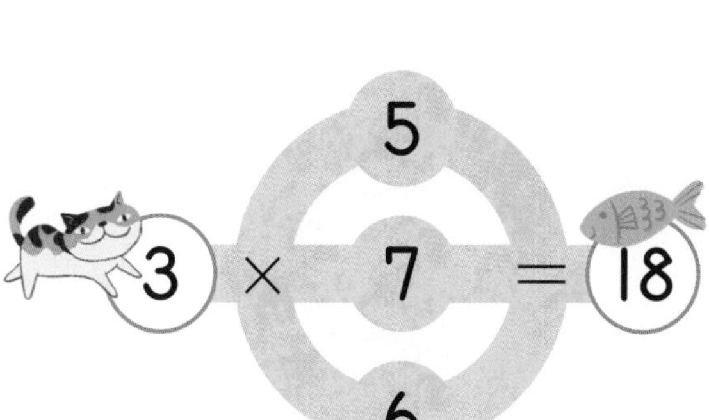

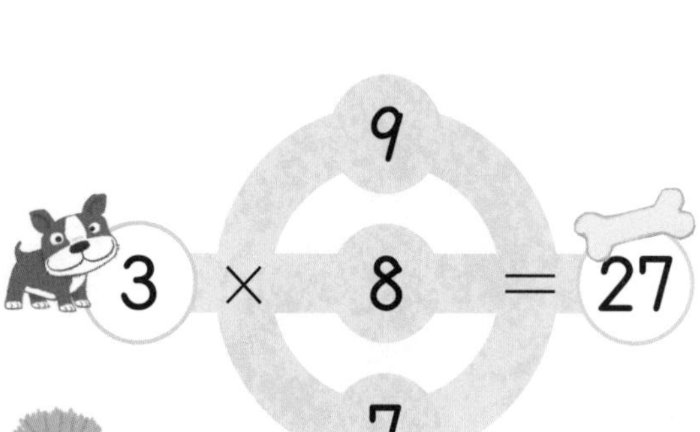

확인 학습

사용한 성냥개비는 모두 몇 개인지 곱셈식을 써서 구하세요.

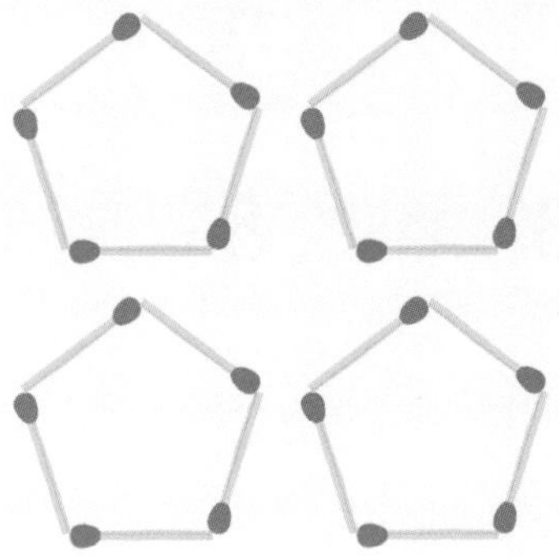

$\square \times \square = \square$(개)

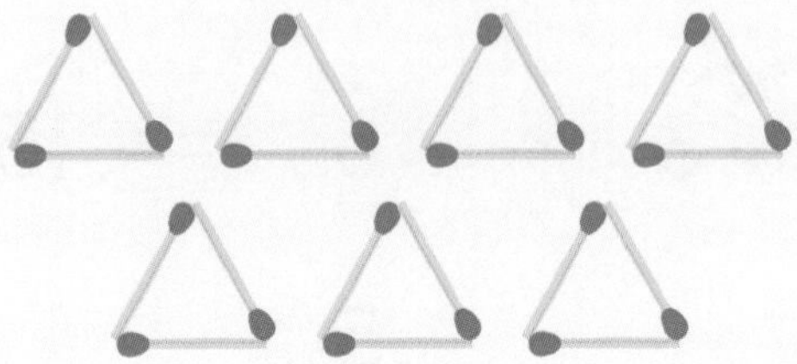

$\square \times \square = \square$(개)

올바른 곱을 따라 길을 그리세요.

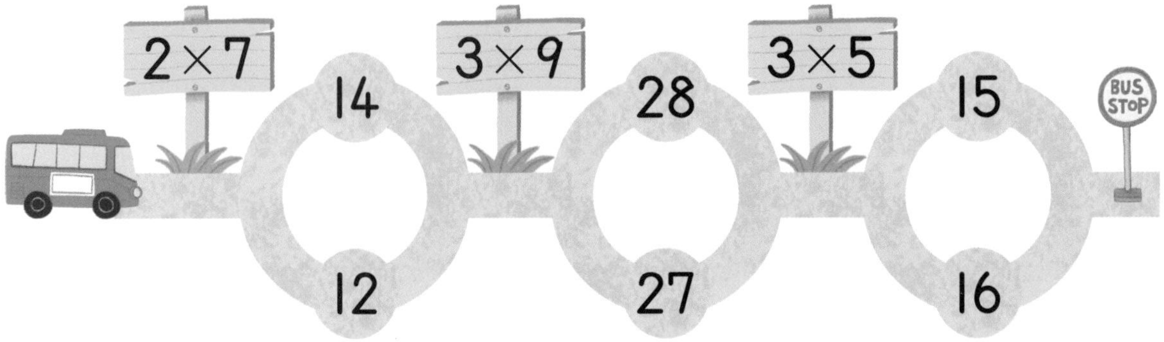

빈칸에 알맞은 수를 쓰세요.

$5 \times 4 = \square$　　$3 \times 8 = \square$　　$2 \times 7 = \square$

$3 \times \square = 18$　　$5 \times \square = 45$　　$2 \times \square = 12$

4주

6단 곱셈구구와 2, 3, 5, 6단

학습 기준

- 6단 곱셈구구의 원리를 이해하고 잘 외울 수 있나요? ☐
- 6단 곱셈구구와 관련된 문제를 잘 해결할 수 있나요? ☐
- 3, 6단 곱셈구구를 거꾸로 외울 수 있나요? ☐
- 2, 3, 5, 6단 곱셈구구와 관련된 문제를 잘 해결할 수 있나요? ☐

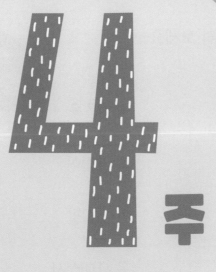

1일 6단 곱셈구구 에는 3단에 있는 수도 있어.

✚ 6단 곱셈구구를 완성하고 6단을 외워 보세요.

6단

6×1=	☐	육 일은 육
6×2=	☐ (+6)	육 이 십이
6×3=	☐ (+6)	육 삼 십팔
6×4=	☐ (+6)	육 사 이십사
6×5=	☐ (+6)	육 오 삼십
6×6=	☐ (+6)	육 육 삼십육
6×7=	☐ (+6)	육 칠 사십이
6×8=	☐ (+6)	육 팔 사십팔
6×9=	☐ (+6)	육 구 오십사

6단 곱셈구구의 수를 차례로 따라가!

10	16	25	42	48	54
6	14	30	36	38	56
12	18	24	26	40	58

곱이 나타내는 수를 찾아 색칠하세요.

6×2

10 12
14 13

6×8

46
43 42
48

6×5

35
30 40
25

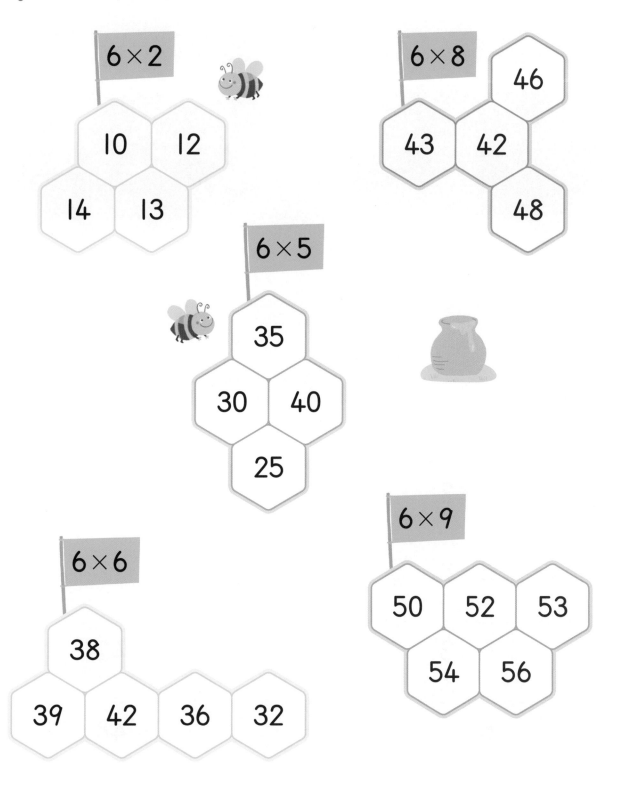

6×6

38
39 42 36 32

6×9

50 52 53
54 56

➕ 개미의 다리는 모두 몇 개인지 곱셈식을 써서 구하세요.

$6 \times \boxed{} = \boxed{}$ (개)

$\boxed{} \times \boxed{} = \boxed{}$ (개)

➕ 관계있는 것끼리 선으로 이으세요.

6×2		18
6×8		12
6×3		42
6×7		48

➕ 상자 **4**개를 쌓았습니다. 보이지 않는 상자에 적힌 수는 무엇일까요?

곱셈식 뒤에는 곱이 적혀 있어.

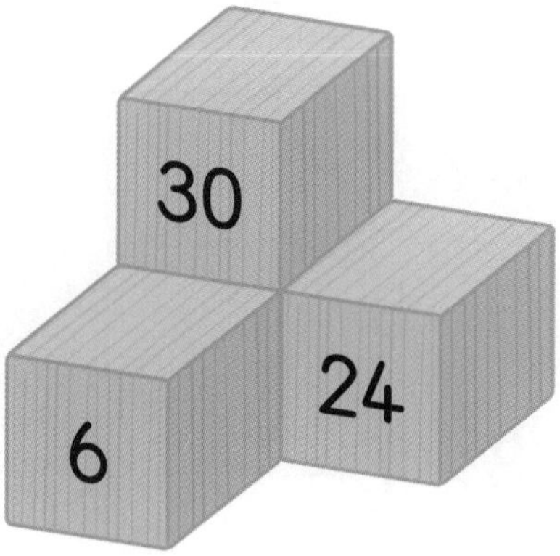

➕ 빈칸에 알맞은 수를 쓰세요.

$6 \times 4 =$ ☐ $6 \times 7 =$ ☐ $6 \times$ ☐ $= 30$

$$\begin{array}{r} 6 \\ \times\ 3 \\ \hline \boxed{} \end{array}$$

$$\begin{array}{r} 6 \\ \times\ \boxed{} \\ \hline 5\ 4 \end{array}$$

$$\begin{array}{r} 6 \\ \times\ \boxed{} \\ \hline 3\ 6 \end{array}$$

➕ 3단, 6단 곱셈구구를 거꾸로 완성하고 3단, 6단을 거꾸로 외워 보세요.

3단

$3 \times 9 =$ ⬚ —3

$3 \times 8 =$ ⬚ —3

$3 \times 7 =$ ⬚ —3

$3 \times 6 =$ ⬚ —3

$3 \times 5 =$ ⬚ —3

$3 \times 4 =$ ⬚ —3

$3 \times 3 =$ ⬚ —3

$3 \times 2 =$ ⬚ —3

$3 \times 1 =$ ⬚

6단

$6 \times 9 =$ ⬚ —6

$6 \times 8 =$ ⬚ —6

$6 \times 7 =$ ⬚ —6

$6 \times 6 =$ ⬚ —6

$6 \times 5 =$ ⬚ —6

$6 \times 4 =$ ⬚ —6

$6 \times 3 =$ ⬚ —6

$6 \times 2 =$ ⬚ —6

$6 \times 1 =$ ⬚

삼 구 이십칠,
삼 팔 이십사~

빈칸에 알맞은 수를 쓰세요.

3 ×	2	➡	
		➡	24
	7	➡	
		➡	15

6 ×		➡	30
	9	➡	
	4	➡	
		➡	42

관계있는 당근과 두더지를 선으로 이으세요.

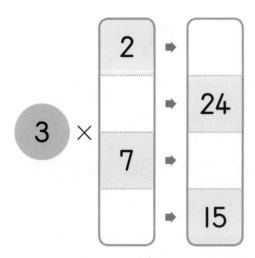

♣ 주어진 곱을 찾아 색칠하세요.

3×7	2×9
5×4	6×6

삼 칠 이십일

12	32	24	21	(3×7)
26	15	22	30	
36	19	34	42	
14	18	20	16	

30	24	48	12
6	9	15	20
8	46	25	10
18	50	49	14

5×5	3×2
2×7	6×8

오 오?

곱셈표를 완성하세요.

×	4	8	3
2			
3			

×	3	6	9
5			
6			

빈칸에 알맞은 수를 쓰세요.

$2 \times 4 = \square$　　$3 \times \square = 18$　　$6 \times 2 = \square$

$5 \times \square = 25$　　$6 \times 8 = \square$　　$2 \times \square = 14$

$3 \times 7 = \square$　　$2 \times \square = 10$　　$5 \times 8 = \square$

$6 \times \square = 42$　　$5 \times 4 = \square$　　$3 \times \square = 27$

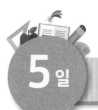

➕ 각 단의 곱을 모두 찾아 색칠하세요.

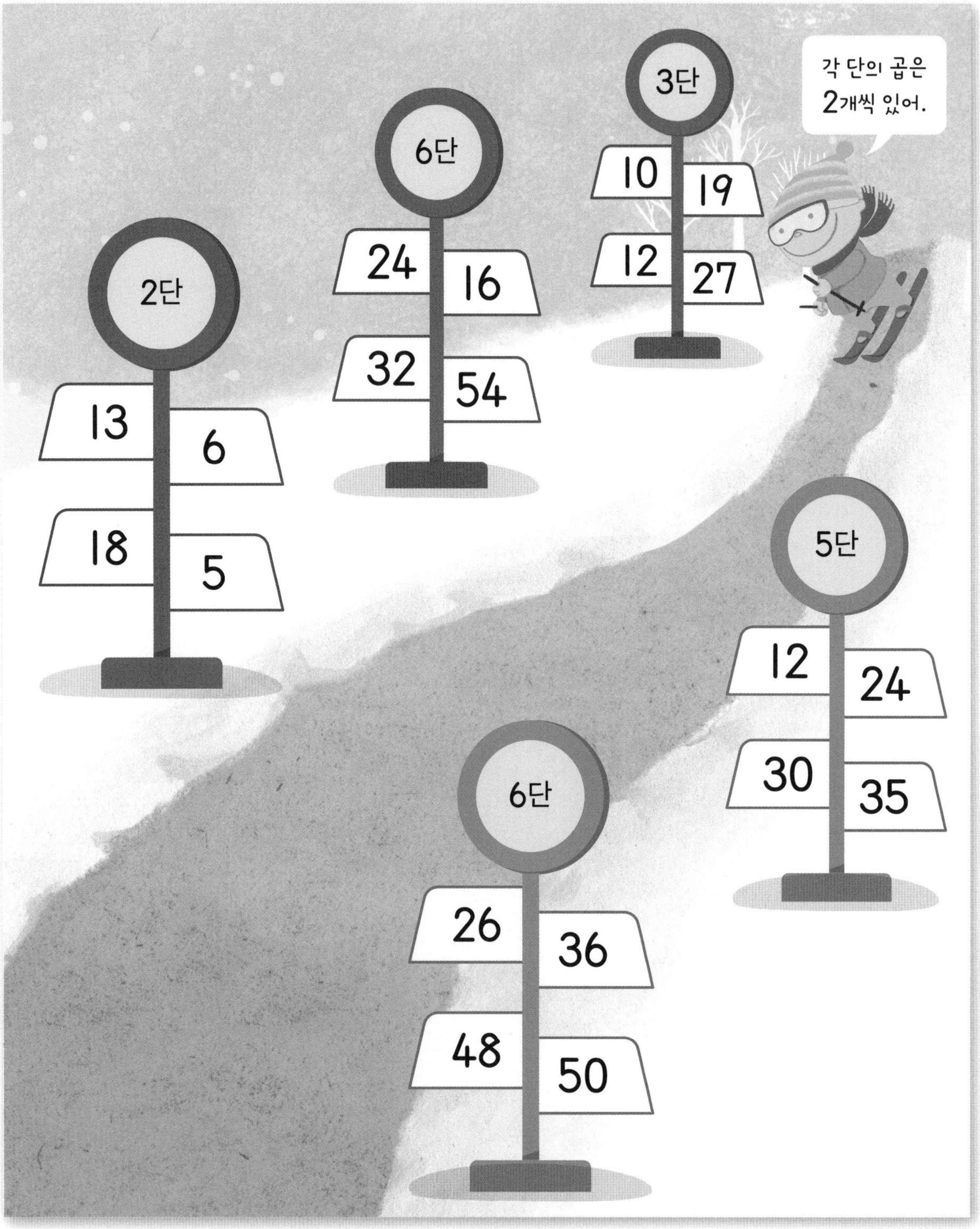

✚ 수 카드를 한 번씩 모두 사용하여 곱셈식을 완성하세요.

8　6　1

$2 \times \boxed{} = \boxed{}\boxed{}$

3　6　0

$5 \times \boxed{} = \boxed{}\boxed{}$

3단이니까 십의 자리에는 1 또는 2가 놓여.

2　1　4

$3 \times \boxed{} = \boxed{}\boxed{}$

9　4　5

$6 \times \boxed{} = \boxed{}\boxed{}$

5　7　3

$5 \times \boxed{} = \boxed{}\boxed{}$

➕ 각 단의 곱을 모두 찾아 색칠하세요.

6 ×

4			6

↓ ↓ ↓ ↓

	54	18	

3 ×

	3		8

↓ ↓ ↓ ↓

21		6	

➕ 각 단의 곱을 모두 찾아 색칠하세요.

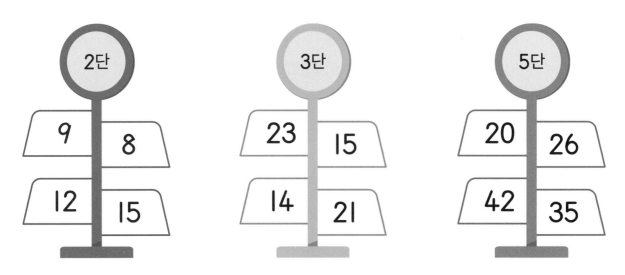

2단
9   8
12   15

3단
23   15
14   21

5단
20   26
42   35

➕ 빈칸에 알맞은 수를 쓰세요.

$3 \times 4 = \boxed{}$

$2 \times \boxed{} = 18$

$6 \times 9 = \boxed{}$

$5 \times \boxed{} = 25$

$6 \times 4 = \boxed{}$

$3 \times \boxed{} = 24$

마무리

평가

마무리 평가에서는 1, 2, 3, 4주 차의 유형이 순서대로 나옵니다.

문제가 틀리면 몇 주 차인지 확인하여 반드시 다시 한번 복습합니다.

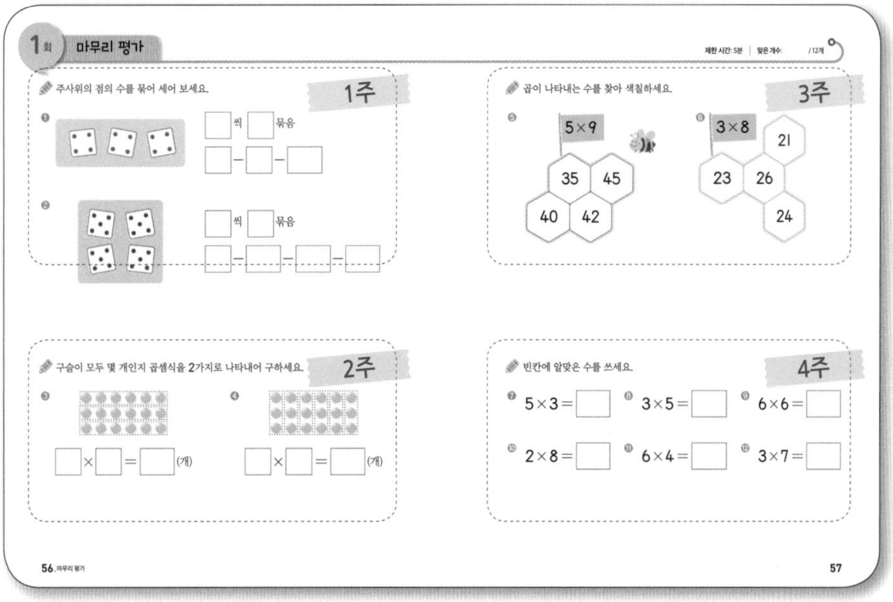

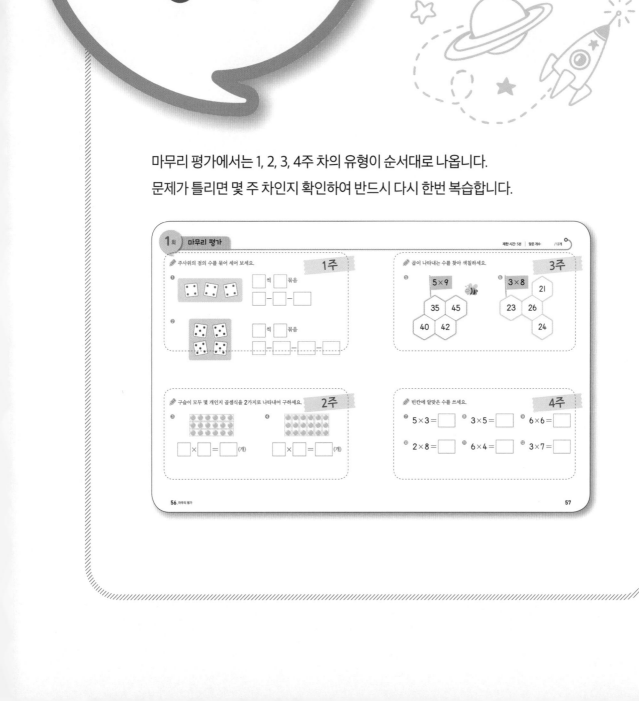

1회 마무리 평가

✎ 주사위의 점의 수를 묶어 세어 보세요.

❶

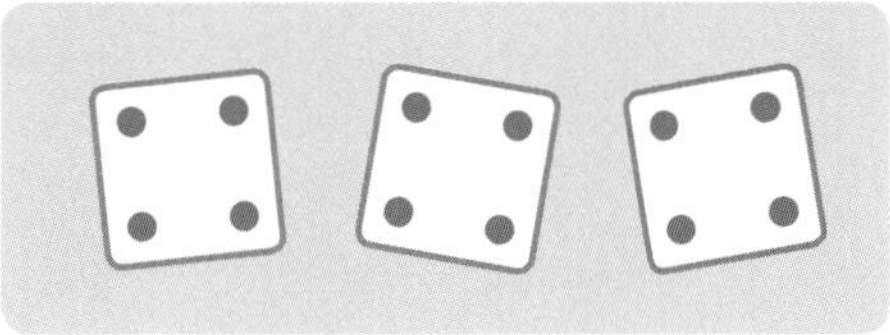

□씩 □묶음

□ - □ - □

❷

□씩 □묶음

□ - □ - □ - □

✎ 구슬이 모두 몇 개인지 곱셈식을 2가지로 나타내어 구하세요.

❸

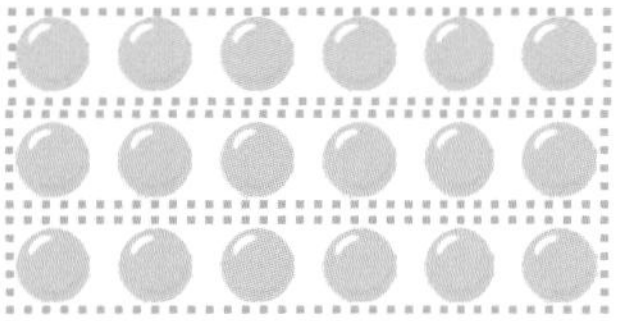

□ × □ = □(개)

❹

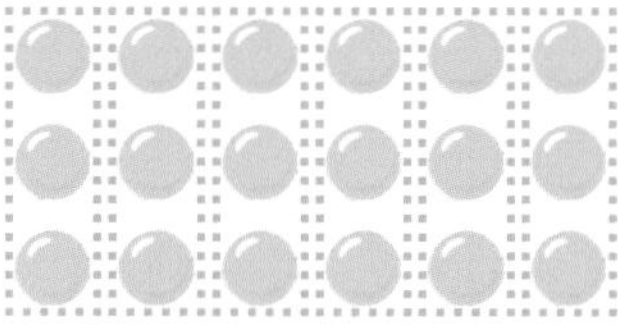

□ × □ = □(개)

✏️ 곱이 나타내는 수를 찾아 색칠하세요.

❺

❻

✏️ 빈칸에 알맞은 수를 쓰세요.

❼ $5 \times 3 = \boxed{}$ ❽ $3 \times 5 = \boxed{}$ ❾ $6 \times 6 = \boxed{}$

❿ $2 \times 8 = \boxed{}$ ⓫ $6 \times 4 = \boxed{}$ ⓬ $3 \times 7 = \boxed{}$

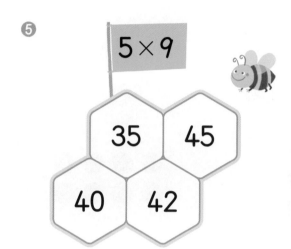

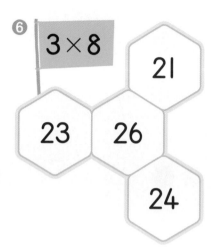

2회 마무리 평가

오른쪽 두 사람이 가진 쿠키의 수는 정우가 가진 쿠키 수의 몇 배인지 쓰세요.

❶

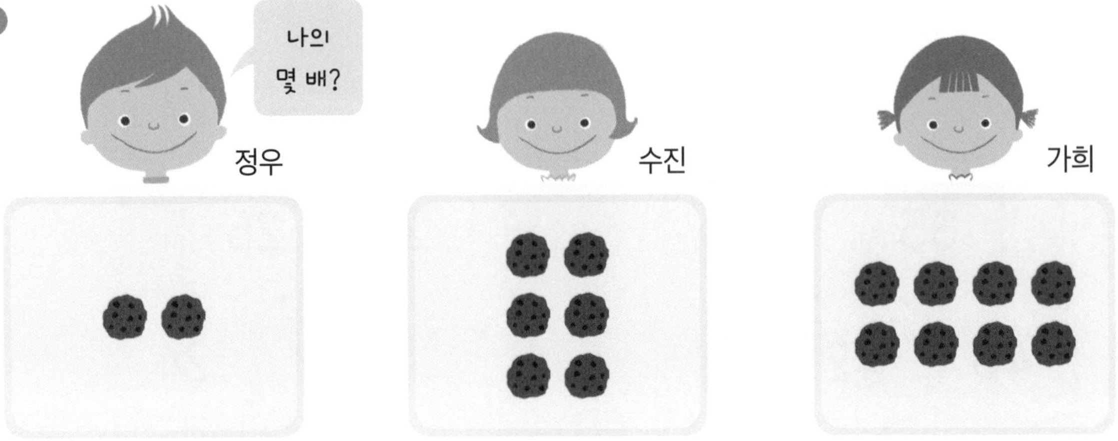

□배 □배

두 곱셈식의 합을 이용하여 곱을 구하세요.

❷

$$\begin{array}{r} 4 \times 3 = 12 \\ +)\ 4 \times 5 = 20 \\ \hline 4 \times \square = \square \end{array}$$

❸

$$\begin{array}{r} 8 \times 7 = 56 \\ +)\ 8 \times 2 = 16 \\ \hline 8 \times \square = \square \end{array}$$

손가락과 개미 다리는 각각 몇 개인지 곱셈식을 써서 구하세요.

❹ 

□ × □ = □(개)

❺ 

□ × □ = □(개)

빈칸에 알맞은 수를 쓰세요.

❻ $2 \times 7 = \square$

❼ $6 \times 2 = \square$

❽ $5 \times \square = 30$

❾ $\begin{array}{r} 2 \\ \times \quad 9 \\ \hline \square \end{array}$

❿ $\begin{array}{r} 3 \\ \times \quad \square \\ \hline 2\ 1 \end{array}$

⓫ $\begin{array}{r} 6 \\ \times \quad \square \\ \hline 5\ 4 \end{array}$

3회 마무리 평가

몇의 몇 배를 덧셈식으로 나타내어 구하세요.

❶ 8의 3배 ➡ ____________________

❷ 2의 7배 ➡ ____________________

❸ 5의 6배 ➡ ____________________

두 곱셈식의 차를 이용하여 곱을 구하세요.

❹

$$\begin{array}{r} 7 \times 5 = 35 \\ -)\ 7 \times 1 = 7 \\ \hline 7 \times \square = \square \end{array}$$

❺

$$\begin{array}{r} 6 \times 7 = 42 \\ -)\ 6 \times 2 = 12 \\ \hline 6 \times \square = \square \end{array}$$

제한 시간: 5분 | 맞은 개수: /10개

곱셈표를 완성하세요.

❻

×	4	7
3		
5		

❼

×	9	6
2		
6		

각 단의 곱을 모두 찾아 색칠하세요.

❽

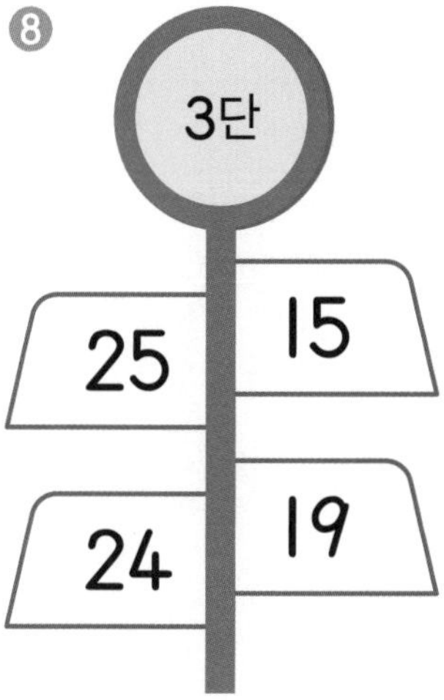

❾

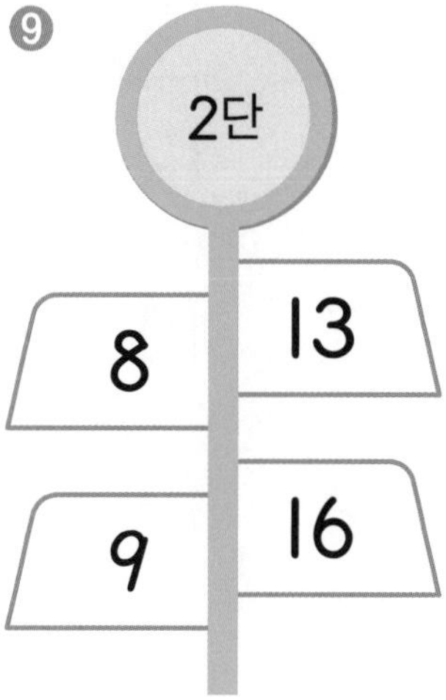

❿

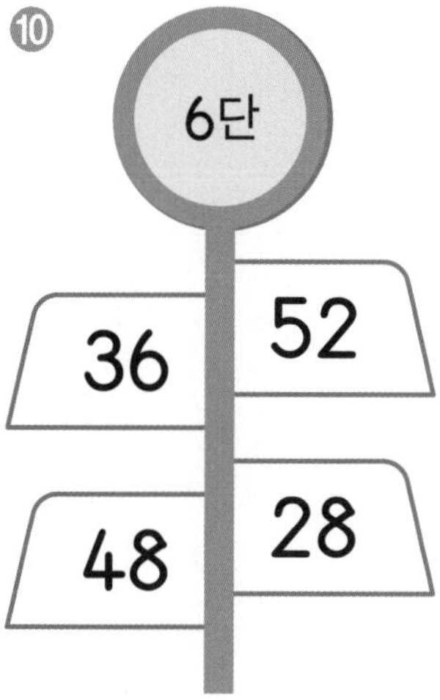

4회 마무리 평가

덧셈식을 곱셈식으로 나타내어 곱을 구하세요.

❶

$9+9+9+9$

$9 \times \square = \square$

❷

$4+4+4+4+4+4$

$4 \times \square = \square$

2단 곱셈구구의 수를 차례로 지나 미로를 통과하세요.

❸

알맞은 곱에 ○표 하세요.

❹

5×7

45 37 30 35 40

❺

3×6

17 15 18 19 21

빈칸에 알맞은 수를 쓰세요.

❻ $6\times4=\square$

❼ $2\times\square=12$

❽ $5\times5=\square$

❾ $3\times\square=27$

❿ $2\times4=\square$

⓫ $6\times\square=48$

5회 마무리 평가

나타내는 수가 다른 하나를 찾아 ╳표 하세요.

❶

3의 5배
3+5
3씩 5묶음
3×5

❷

7+7+7
7씩 3묶음
7×7×7
7의 3배

사용한 성냥개비는 모두 몇 개인지 곱셈식을 써서 구하세요.

❸

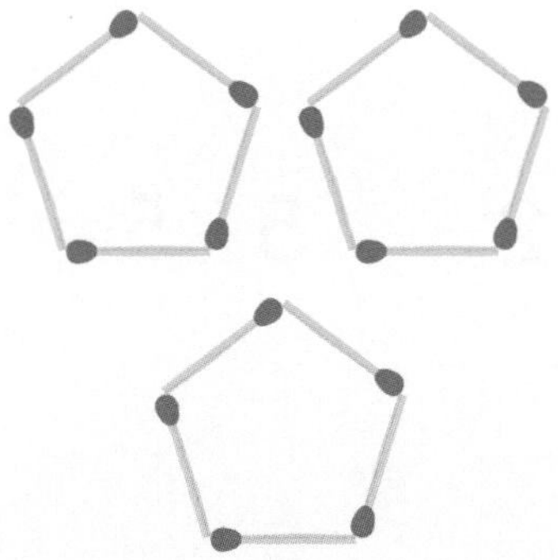

□×□=□(개)

❹

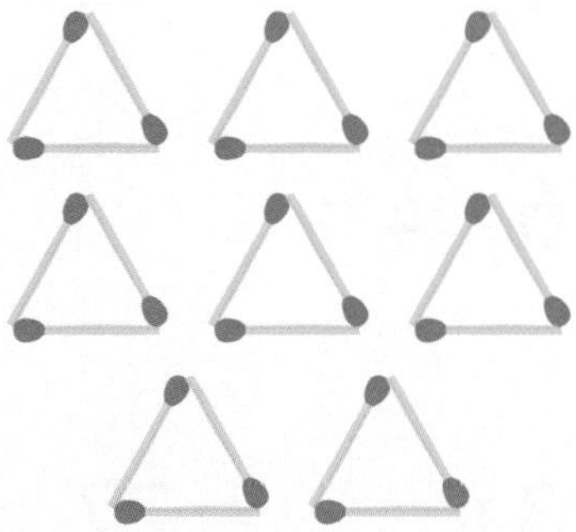

□×□=□(개)

✏️ 빈칸에 알맞은 수를 쓰세요.

❺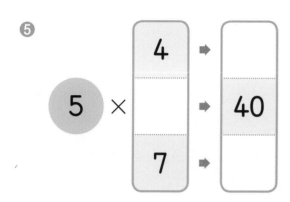

❻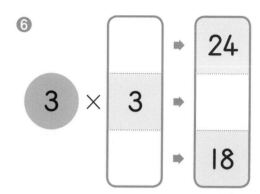

✏️ 수 카드를 한 번씩 모두 사용하여 곱셈식을 완성하세요.

❼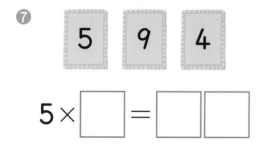

❽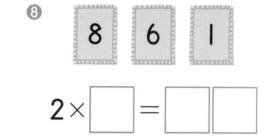

❾

5 3 5

6 × ☐ = ☐ ☐

❿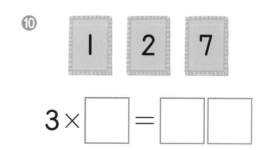

MEMO

실력 평가

초2_3권

시간	2분	문제 수	20개
배점	1문제 5점 / 총 100점		

날짜: ______ 월 ______ 일

이름: ____________

점수: ______ 점

사고가 자라는 수학
씨투엠

① $2 \times 5 =$

⑪ $3 \times 6 =$

② $5 \times 3 =$

⑫ $6 \times 2 =$

③ $3 \times 8 =$

⑬ $2 \times 4 =$

④ $6 \times 4 =$

⑭ $5 \times 9 =$

⑤ $5 \times 1 =$

⑮ $3 \times 3 =$

⑥ $2 \times 9 =$

⑯ $2 \times 8 =$

⑦ $6 \times 6 =$

⑰ $5 \times 7 =$

⑧ $3 \times 5 =$

⑱ $3 \times 9 =$

⑨ $5 \times 8 =$

⑲ $6 \times 5 =$

⑩ $6 \times 7 =$

⑳ $2 \times 6 =$

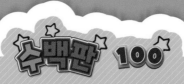

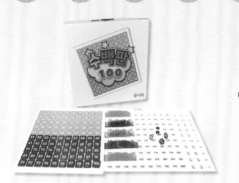

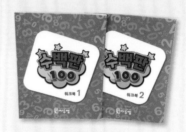

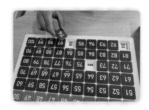

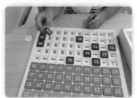

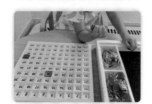

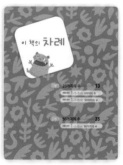

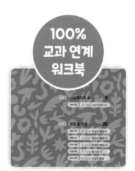

초등 연산의 기준

칸토의 연산

정답

곱셈의 기초와

곱셈구구(1)

초2·3권

사고가 자라는 수학
씨투엠

초등 연산의 기준

칸토의 연산

정답

곱셈의 기초와 곱셈구구(1)

정답

1주: 곱셈의 기초

8쪽 · 9쪽

1일 묶어 세기 는 하나씩 세기보다 더 빨리 셀 수 있는 방법이야.

월 일

✚ 주사위의 점의 수를 묶어 세어 보세요.

3 내가 모두 5번 나왔어.

3 씩 5 묶음

3 – 6 – 9 – 12 – 15

4 씩 7 묶음

4 – 8 – 12 – 16 – 20 – 24 – 28

6 씩 4 묶음

6 – 12 – 18 – 24

2씩 3묶음은 2씩 3번 뛰어 세는 것과 같아.

0 2 4 6

✚ 몇씩 묶어 세어 보세요.

1 2 3 4 5

2씩 5 묶음 ➡ 10

1 2

4씩 2 묶음 ➡ 8

예 3씩 6 묶음 ➡ 18

예 5씩 4 묶음 ➡ 20

예 8씩 4 묶음 ➡ 32

예 6씩 5 묶음 ➡ 30

8_1주 9

10쪽 · 11쪽

2일 몇 배 는 묶음의 수야. 2씩 3묶음은 2의 3배라고 해.

월 일

✚ 빈칸에 알맞은 수를 쓰세요.

3씩 2 묶음
3의 2 배 ➡ 6

3씩 2묶음은 3의 2배로 나타낼 수 있어.

몇 배를 읽을 때는 한 배, 두 배, 세 배…… 라고 읽어.

2씩 4 묶음
2의 4 배 ➡ 8

4씩 2 묶음
4의 2 배 ➡ 8

5씩 3 묶음
5의 3 배 ➡ 15

✚ 오른쪽 두 사람이 가진 과일의 수는 정우가 가진 것의 몇 배인지 쓰세요.

나의 몇 배?

정우 수진 가희

정우	수진	가희
	4 배	3 배
	3 배	5 배
	6 배	4 배

10_1주 11

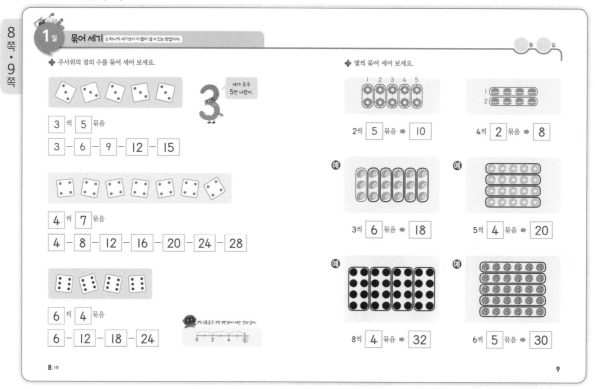

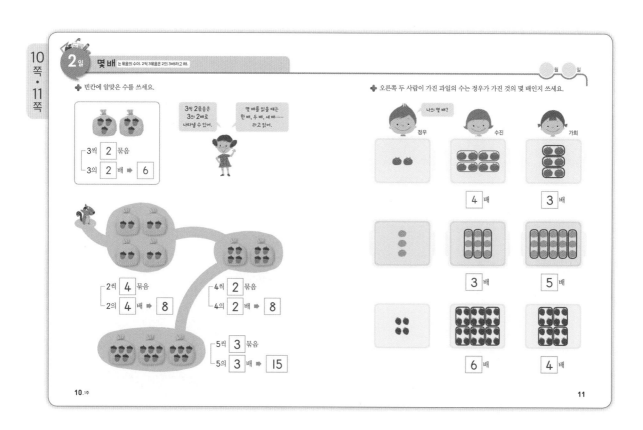

12쪽·13쪽

3일 몇 배와 덧셈식 어떤 수의 몇 배는 덧셈식으로 나타낼 수 있어.

월 일

✚ 몇의 몇 배를 덧셈식을 이용하여 구하세요.

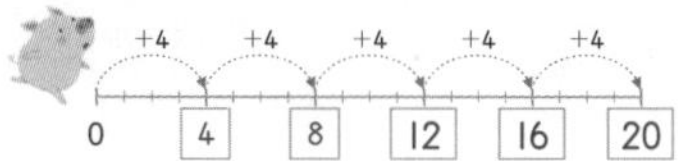

4의 5배 ➡ 4+4+4+4+4= 20

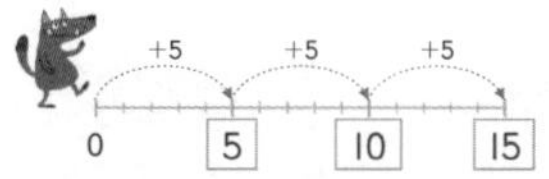

5의 3배 ➡ 5+5+5= 15

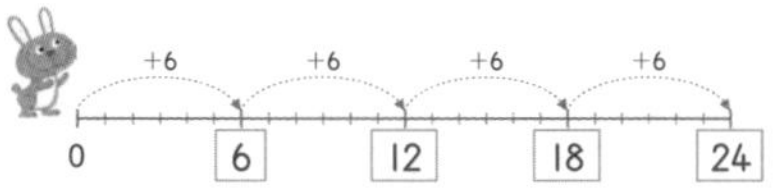

6의 4배 ➡ 6+6+6+6= 24

✚ 몇의 몇 배는 덧셈식으로, 덧셈식은 몇의 몇 배로 나타내세요.

7의 3배 ➡ 7+7+7=21

5의 6배 ➡ 5+5+5+5+5+5=30

2의 7배 ➡ 2+2+2+2+2+2+2=14

9의 4배 ➡ 9+9+9+9=36

✚ 알맞은 수를 선으로 이으세요.

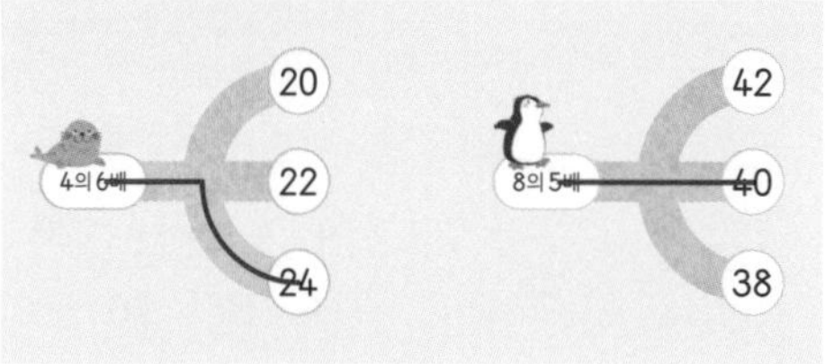

14쪽·15쪽

4일 곱셈식 은 같은 수를 여러 번 더하는 덧셈식을 간단히 나타낸 식이야.

월 일

✚ 덧셈식을 곱셈식으로 나타내고 곱을 구하세요.

2+2+2+2

2× 4 = 8 (곱)

곱셈하여 얻어진 값

읽기
- 2의 4배는 8입니다.
- 2 곱하기 4는 8과 같습니다.
- 2와 4의 곱은 8입니다.

나로 간단하게 나타내니까 편하지?

7+7+7

7× 3 = 21

5+5+5+5+5

5× 5 = 25

3+3+3+3+3+3+3

3× 7 = 21

8+8+8+8

8× 4 = 32

6+6+6+6+6+6+6+6

6× 8 = 48

같은 수를 여러 번 더하는 덧셈식을 곱셈식으로 간단히 나타낼 수 있어.

3+3+3+3+3=3×5=15 (5번)

✚ 관계있는 것끼리 선으로 이으세요.

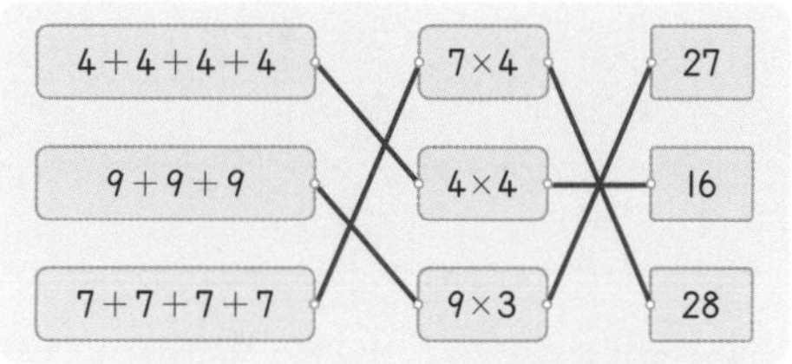

3의 5배는 3×5야.

3의 5배 [쓰기 3×5 / 읽기 3 곱하기 5]

✚ 곱셈식을 덧셈식으로 나타내고 곱을 구하세요.

3×4 ➡ 3+3+3+3=12

5×3 ➡ 5+5+5=15

8×5 ➡ 8+8+8+8+8=40

정답

16쪽·17쪽

5일 곱셈식과 다양한 표현 묶음, 배, 덧셈식, 곱셈식 4가지 표현이 있어.

월 일

✚ 그림을 보고 4가지 방법으로 나타내세요.

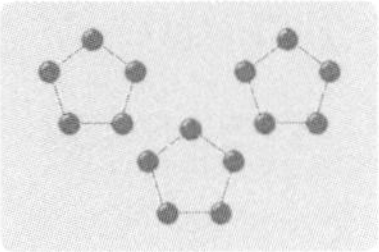

5씩 [3] 묶음, 5의 [3] 배

5 + 5 + 5 = 15

5 × [3] = [15]

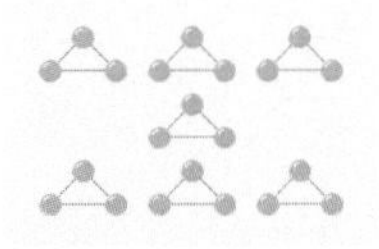

3씩 [7] 묶음, 3의 [7] 배

3+3+3+3+3+3+3=21

3 × [7] = [21]

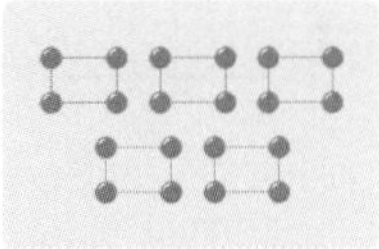

4씩 [5] 묶음, 4의 [5] 배

4+4+4+4+4=20

4 × [5] = [20]

✚ 곱셈식으로 나타내세요.

2의 5배: [2] × [5] = [10]

7+7+7+7+7: [7] × [5] = [35]

6씩 2묶음: [6] × [2] = [12]

5의 8배: [5] × [8] = [40]

3+3+3+3+3+3: [3] × [6] = [18]

9씩 4묶음: [9] × [4] = [36]

✚ 나타내는 수가 다른 하나를 찾아 ╳표 하세요.

8의 2배
8 × 2
8씩 2묶음
~~8+2~~

6+6+6
6씩 3묶음
~~6×6×6~~
6의 3배

18쪽

확인 학습

✚ 주사위의 점의 수를 묶어 세어 보세요.

[5] 씩 [4] 묶음

[5] - [10] - [15] - [20]

✚ 오른쪽 구슬은 왼쪽 구슬 수의 몇 배인지 구하세요.

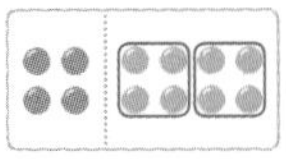

[2] 배

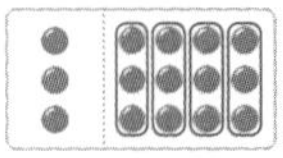

[4] 배

✚ 곱셈식으로 나타내세요.

3의 5배: [3] × [5] = [15]

4+4+4: [4] × [3] = [12]

7씩 3묶음: [7] × [3] = [21]

8+8+8+8: [8] × [4] = [32]

1주

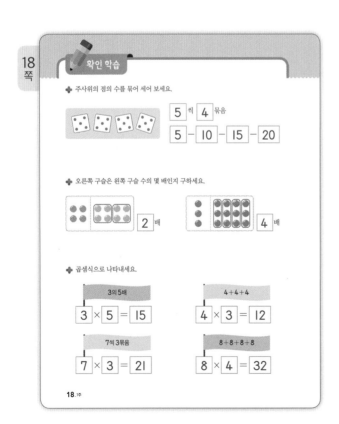

1일 **바꾸어 곱하기** 곱하는 두 수의 순서를 바꾸어도 곱은 같아.

🍀 구슬이 모두 몇 개인지 곱셈식을 2가지로 나타내어 구하세요.

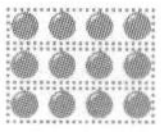

$4 \times 3 = 12$ (개) $3 \times 4 = 12$ (개)

$6 \times 4 = 24$ (개) $4 \times 6 = 24$ (개)

$4 \times 5 = 20$ (개) $5 \times 4 = 20$ (개)

🍀 순서를 바꾸어 곱셈을 하세요.

$\begin{bmatrix} 2 \times 4 = 8 \\ 4 \times 2 = 8 \end{bmatrix}$ $\begin{bmatrix} 3 \times 5 = 15 \\ 5 \times 3 = 15 \end{bmatrix}$

$\begin{bmatrix} 4 \times 7 = 28 \\ 7 \times 4 = 28 \end{bmatrix}$ $\begin{bmatrix} 2 \times 9 = 18 \\ 9 \times 2 = 18 \end{bmatrix}$

곱하는 두 수의 순서를 바꾸어도 곱은 같아.
● × ▲ = ▲ × ●

🍀 빈칸에 알맞은 수를 쓰세요.

$2 \times 5 = 5 \times 2 = 10$ $3 \times 4 = 4 \times 3 = 12$

$9 \times 3 = 3 \times 9 = 27$ $4 \times 8 = 8 \times 4 = 32$

20 .2주   21

2일 **나누어 곱해서 더하기** 곱해지는 수가 같은 2개의 곱셈식은 서로 더할 수 있어.

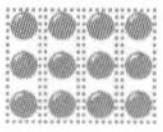

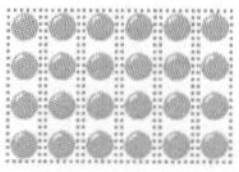

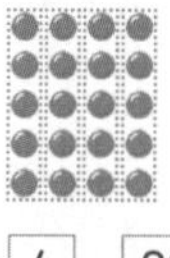

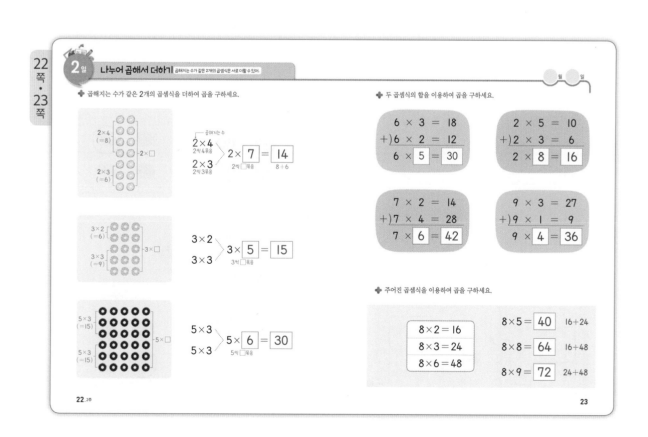

🍀 곱해지는 수가 같은 2개의 곱셈식을 더하여 곱을 구하세요.

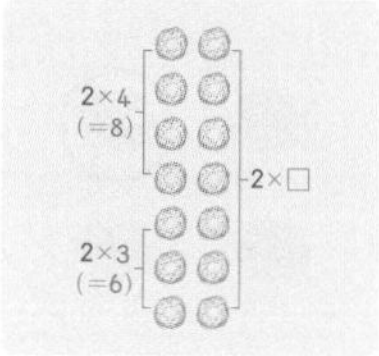

2×4 (=8)
2×3 (=6) $2 \times \square$

곱해지는 수
2×4 2씩 4묶음
2×3 2씩 3묶음 $2 \times 7 = 14$
2씩 □묶음   8+6

3×2 (=6)
3×3 (=9) $3 \times \square$

3×2
3×3 $3 \times 5 = 15$
3씩 □묶음

5×3 (=15)
5×3 (=15) $5 \times \square$

5×3
5×3 $5 \times 6 = 30$
5씩 □묶음

🍀 두 곱셈식의 합을 이용하여 곱을 구하세요.

$\begin{array}{r} 6 \times 3 = 18 \\ +) 6 \times 2 = 12 \\ \hline 6 \times 5 = 30 \end{array}$ $\begin{array}{r} 2 \times 5 = 10 \\ +) 2 \times 3 = 6 \\ \hline 2 \times 8 = 16 \end{array}$

$\begin{array}{r} 7 \times 2 = 14 \\ +) 7 \times 4 = 28 \\ \hline 7 \times 6 = 42 \end{array}$ $\begin{array}{r} 9 \times 3 = 27 \\ +) 9 \times 1 = 9 \\ \hline 9 \times 4 = 36 \end{array}$

🍀 주어진 곱셈식을 이용하여 곱을 구하세요.

$8 \times 2 = 16$
$8 \times 3 = 24$
$8 \times 6 = 48$

$8 \times 5 = 40$ 16+24
$8 \times 8 = 64$ 16+48
$8 \times 9 = 72$ 24+48

22 .2주   23

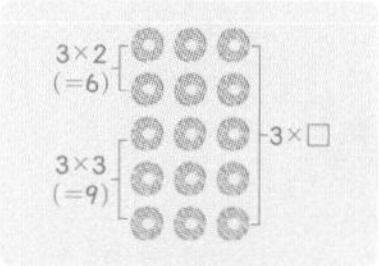

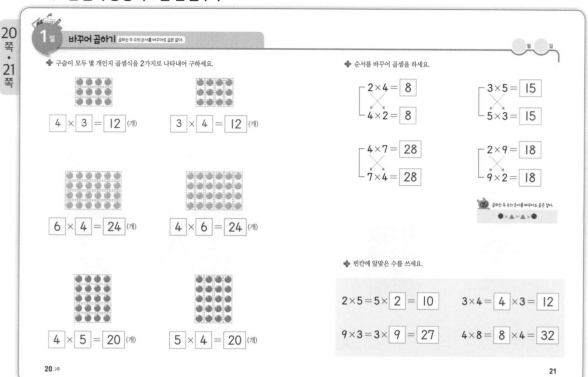

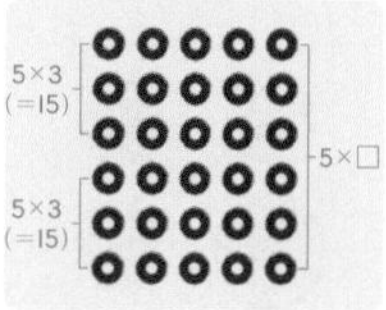

3일 나누어 곱해서 빼기 곱해지는 수가 같은 2개의 곱셈식은 서로 뺄 수 있어.

♣ 곱해지는 수가 같은 2개의 곱셈식을 빼어 곱을 구하세요.

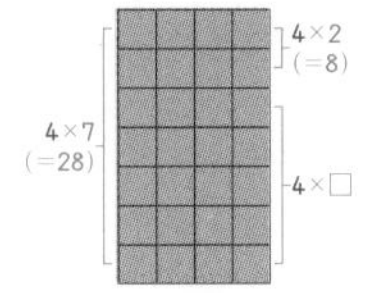

$$4 \times 7 \quad \frac{4 \times 2}{4 \times 5} = 20$$

$$3 \times 6 \quad \frac{3 \times 4}{3 \times 2} = 6$$

$$6 \times 5 \quad \frac{6 \times 3}{6 \times 2} = 12$$

$$5 \times 8 \quad \frac{5 \times 5}{5 \times 3} = 15$$

♣ 관계있는 것끼리 선으로 잇고, 두 곱셈식의 차를 이용하여 곱을 구하세요.

$$\begin{aligned} 7 \times 5 &= 35 \\ -)7 \times 2 &= 14 \\ \hline 7 \times 3 &= 21 \end{aligned}$$

$$\begin{aligned} 4 \times 8 &= 32 \\ -)4 \times 3 &= 12 \\ \hline 4 \times 5 &= 20 \end{aligned}$$

$$\begin{aligned} 5 \times 8 &= 40 \\ -)5 \times 1 &= 5 \\ \hline 5 \times 7 &= 35 \end{aligned}$$

$$\begin{aligned} 8 \times 9 &= 72 \\ -)8 \times 5 &= 40 \\ \hline 8 \times 4 &= 32 \end{aligned}$$

$$\begin{aligned} 6 \times 7 &= 42 \\ -)6 \times 4 &= 24 \\ \hline 6 \times 3 &= 18 \end{aligned}$$

$$8 \times 4 = 32$$
$$4 \times 5 = 20$$
$$7 \times 3 = 21$$
$$6 \times 3 = 18$$
$$5 \times 7 = 35$$

4일 2단 곱셈구구 눈 모두 짝수야.

♣ 2단 곱셈구구를 완성하고 2단을 외워 보세요.

2단
$$2 \times 1 = 2 \quad \text{이일은이}$$
$$2 \times 2 = 4 \quad \text{이이는사}$$
$$2 \times 3 = 6 \quad \text{이삼은육}$$
$$2 \times 4 = 8 \quad \text{이사팔}$$
$$2 \times 5 = 10 \quad \text{이오십}$$
$$2 \times 6 = 12 \quad \text{이육십이}$$
$$2 \times 7 = 14 \quad \text{이칠십사}$$
$$2 \times 8 = 16 \quad \text{이팔십육}$$
$$2 \times 9 = 18 \quad \text{이구십팔}$$

2단 곱셈구구를 차례로 따라가.

♣ 알맞은 곱을 찾아 ○표 하세요.

2×3
4 5
10 ⑥

2×7
12 ⑭
13 16

2×6
8 10
⑫ 6

2단은 모두 짝수야.

2×5
8 ⑩
6 12

2×9
19 20

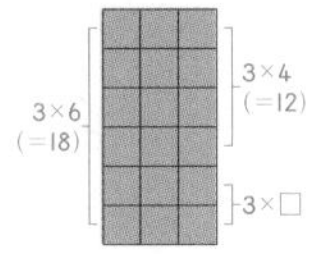

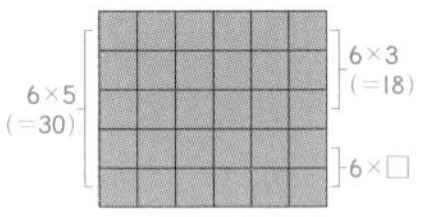

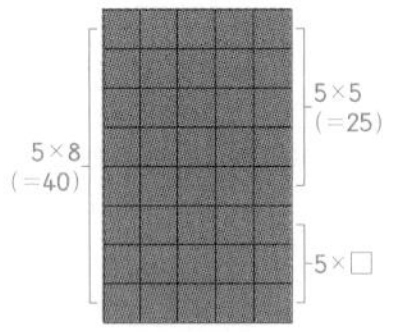

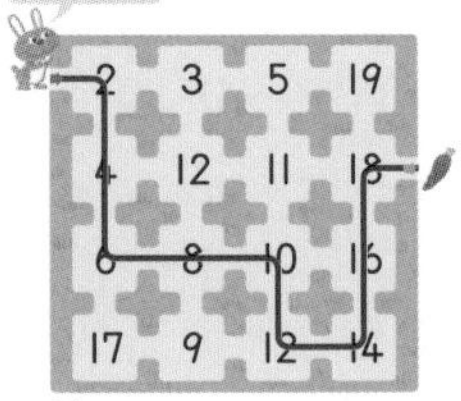

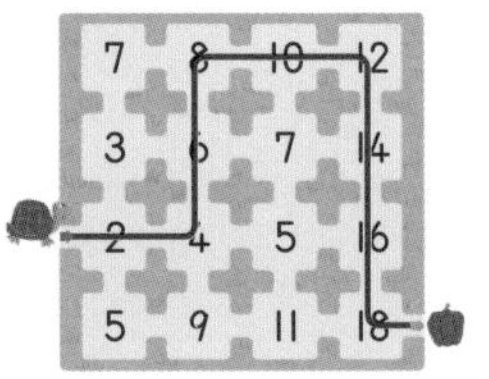

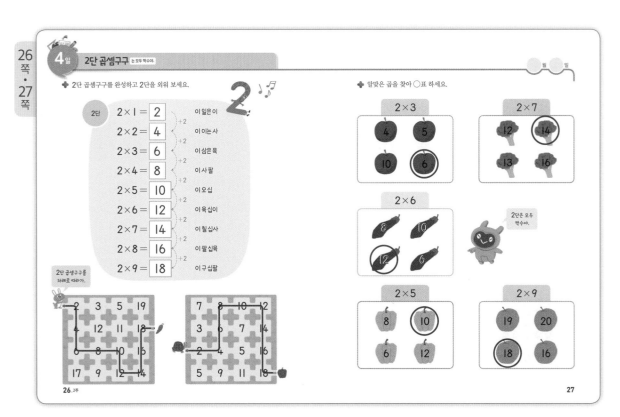

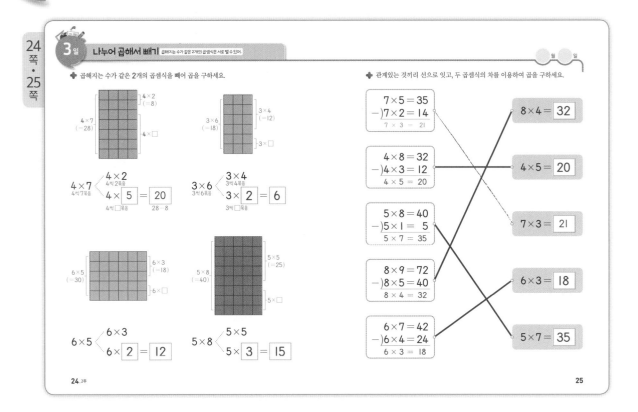

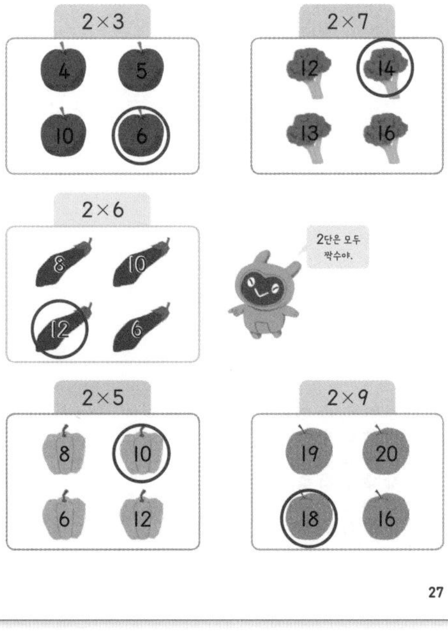

28쪽·29쪽

5일 2단 곱셈구구 연습 순서에 관계없이 바로 곱을 말할 수 있어야 해. 이 칠?

월 일

✚ 곱을 찾아 선으로 이으세요.

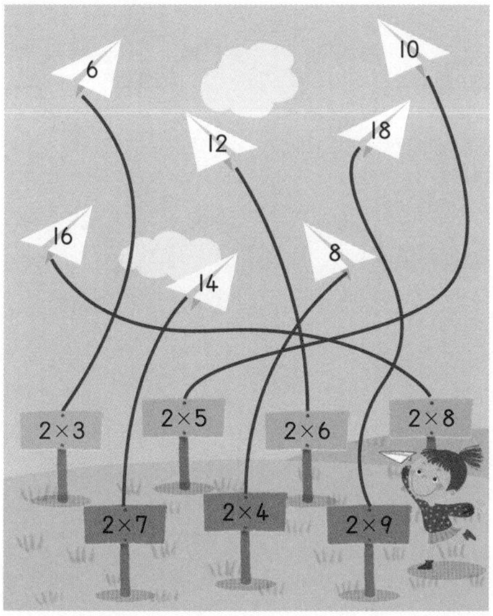

✚ 관계있는 것끼리 선으로 이으세요.

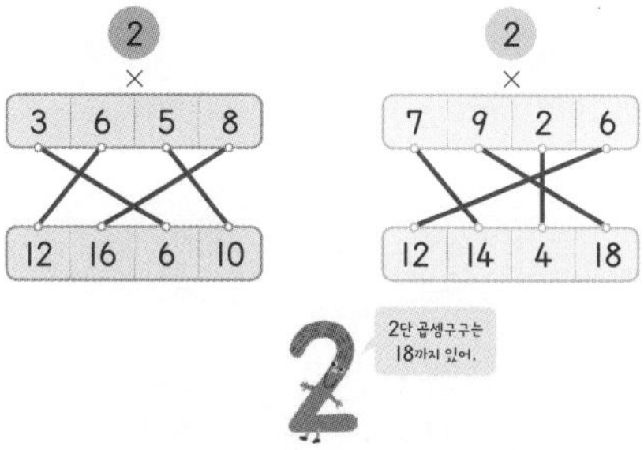

✚ 빈칸에 알맞은 수를 쓰세요.

2×6= 12 2×2= 4 2×5= 10

2×3= 6 2×9= 18 2×7= 14

2× 5 =10 2× 1 =2 2× 8 =16

28.2주 29

30쪽

확인 학습

✚ 구슬이 모두 몇 개인지 곱셈식을 2가지로 나타내어 구하세요.

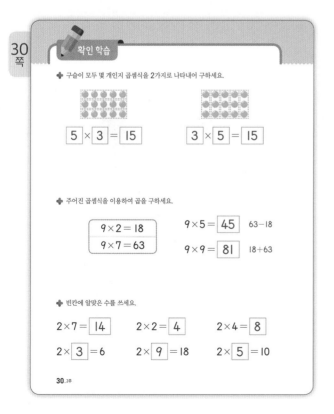

5 × 3 = 15 3 × 5 = 15

✚ 주어진 곱셈식을 이용하여 곱을 구하세요.

9×2=18
9×7=63

9×5= 45 63−18

9×9= 81 18+63

✚ 빈칸에 알맞은 수를 쓰세요.

2×7= 14 2×2= 4 2×4= 8

2× 3 =6 2× 9 =18 2× 5 =10

30.2주

3주: 5, 3단 곱셈구구

32쪽 · 33쪽

1일 5단 곱셈구구 의 일의 자리 수는 5, 0이 반복돼.

월 일

✚ 5단 곱셈구구를 완성하고 5단을 외워 보세요.

5단

5×1=	5	오일은오
5×2=	10	오이십
5×3=	15	오삼십오
5×4=	20	오사이십
5×5=	25	오오이십오
5×6=	30	오육삼십
5×7=	35	오칠삼십오
5×8=	40	오팔사십
5×9=	45	오구사십오

(+5씩 커집니다: +5 +5 +5 +5 +5 +5 +5 +5)

2시 몇 분이야?

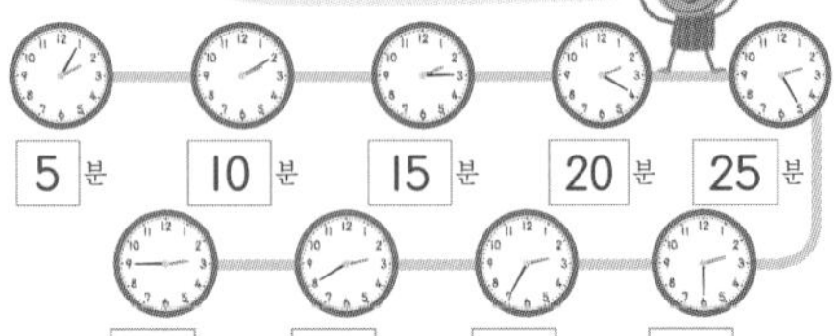

5 분, 10 분, 15 분, 20 분, 25 분

45 분, 40 분, 35 분, 30 분

✚ 올바른 곱을 따라 길을 그리세요.

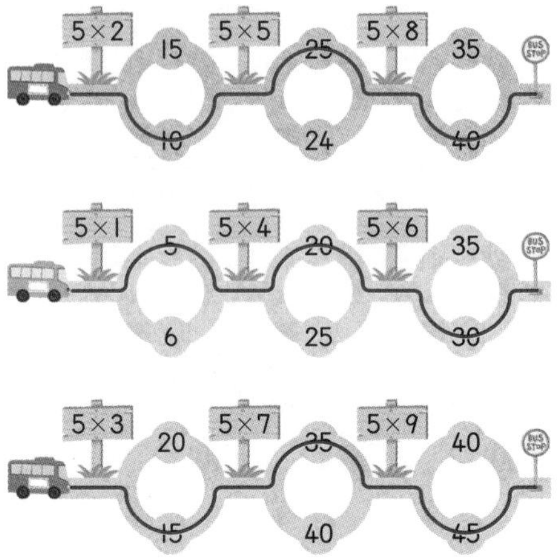

5단 곱셈 구구의 일의 자리 수는 5 또는 0이야.

×	1	2	3	4	5	6
5	5	10	15	20	25	30

34쪽 · 35쪽

2일 5단 곱셈구구 연습 오 오? 오 팔? 바로 답할 수 있어?

월 일

✚ 손가락은 모두 몇 개인지 곱셈식을 써서 구하세요.

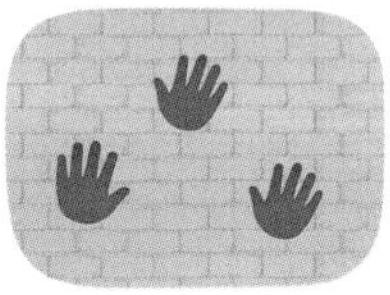

5 × 3 = 15 (개)

5 × 7 = 35 (개)

✚ 곱셈을 하세요.

5×2= 10	5×7= 35	5×1= 5
5×8= 40	5×3= 15	5×6= 30
5×4= 20	5×9= 45	5×5= 25

✚ 5와 곱하여 계산 결과가 나오도록 알맞은 나뭇잎에 ○표 하세요.

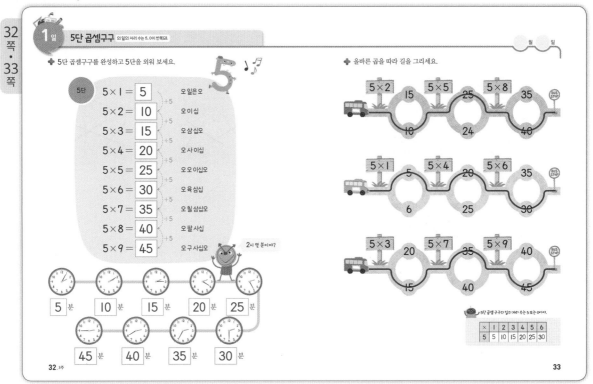

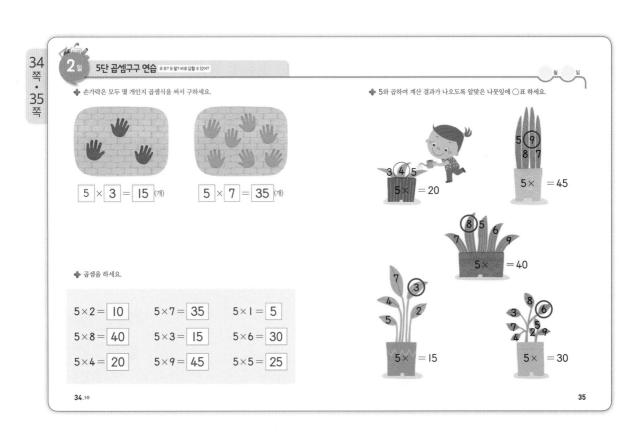

3일 **2, 5단 곱셈구구 연습** 2, 5단 곱셈구구를 거꾸로 외워 볼래? 진짜 실력자가 될 수 있어.

월   일

✚ 2단, 5단 곱셈구구를 거꾸로 완성하고 2단, 5단을 거꾸로 외워 보세요.

2단
2 × 9 = 18
2 × 8 = 16
2 × 7 = 14
2 × 6 = 12
2 × 5 = 10
2 × 4 = 8
2 × 3 = 6
2 × 2 = 4
2 × 1 = 2

5단
5 × 9 = 45
5 × 8 = 40
5 × 7 = 35
5 × 6 = 30
5 × 5 = 25
5 × 4 = 20
5 × 3 = 15
5 × 2 = 10
5 × 1 = 5

이 구 십팔,
이 팔 십육

✚ 배 모양에 사용된 같은 조각을 찾아 곱을 쓰세요.

추황색은
오구?

5 × 8
2 × 7
2 × 8
5 × 6
2 × 2
2 × 5
5 × 9

14   45
30   40   4
16   10

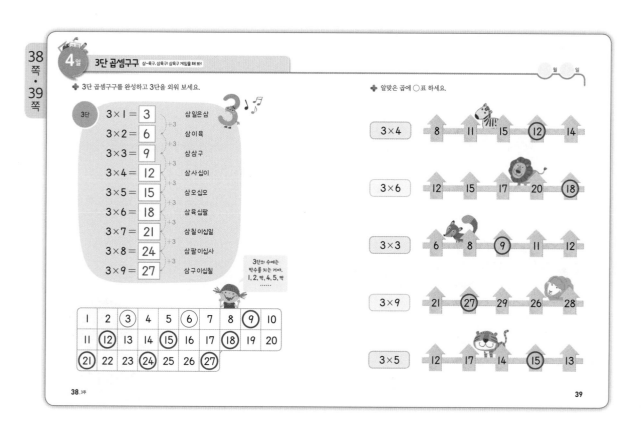

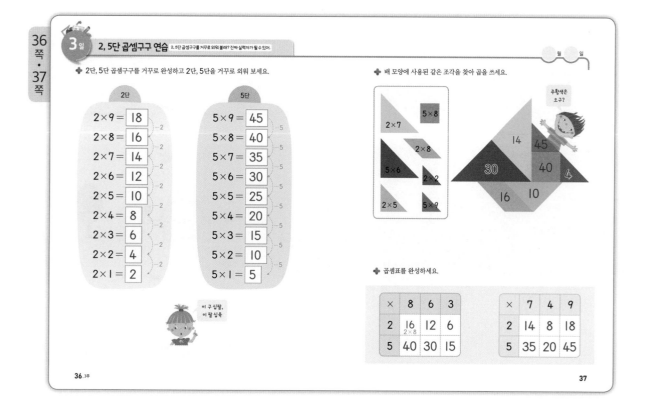

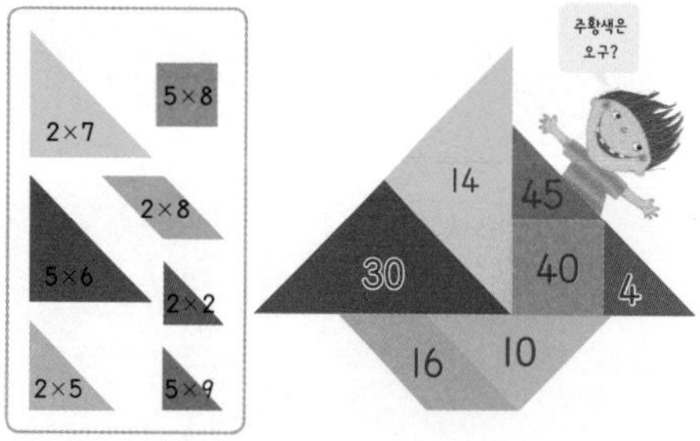

✚ 곱셈표를 완성하세요.

×	8	6	3
2	16 2×8	12	6
5	40	30	15

×	7	4	9
2	14	8	18
5	35	20	45

36.3주   37

4일 **3단 곱셈구구** 삼~육구, 삼육구 삼육구 게임을 해 봐!

월   일

✚ 3단 곱셈구구를 완성하고 3단을 외워 보세요.

3단
3 × 1 = 3   삼일은삼
3 × 2 = 6   삼이육
3 × 3 = 9   삼삼구
3 × 4 = 12   삼사십이
3 × 5 = 15   삼오십오
3 × 6 = 18   삼육십팔
3 × 7 = 21   삼칠이십일
3 × 8 = 24   삼팔이십사
3 × 9 = 27   삼구이십칠

3단의 수에는
박수를 치는 거야.
1, 2, 짝, 4, 5, 짝
......

1	2	③	4	5	⑥	7	8	⑨	10
11	⑫	13	14	⑮	16	17	⑱	19	20
㉑	22	23	㉔	25	26	㉗			

✚ 알맞은 곱에 ○표 하세요.

3 × 4   8   11   15   ⑫   14

3 × 6   12   15   17   20   ⑱

3 × 3   6   8   ⑨   11   12

3 × 9   21   ㉗   29   26   28

3 × 5   12   17   14   ⑮   13

38.3주   39

5일 **3**단 곱셈구구 연습 상오? 심팔? 바로 답힐 수 있어?

월 일

✚ 사용한 성냥개비는 모두 몇 개인지 곱셈식을 써서 구하세요.

$3 \times 5 = 15$ (개) $3 \times 8 = 24$ (개)

✚ 곱셈을 하세요.

$3 \times 5 = 15$ $3 \times 1 = 3$ $3 \times 6 = 18$

$3 \times 4 = 12$ $3 \times 8 = 24$ $3 \times 7 = 21$

$$\begin{array}{r} 3 \\ \times\ 3 \\ \hline 9 \end{array}$$
$$\begin{array}{r} 3 \\ \times\ 2 \\ \hline 6 \end{array}$$
$$\begin{array}{r} 3 \\ \times\ 9 \\ \hline 27 \end{array}$$

✚ 곱셈에 알맞은 길을 그리세요.

$3 \times 6 = 15$ (4, 6, 5)

$3 \times 8 = 24$ (7, 8, 6)

$3 \times 6 = 21$ (7, 6, 5)

$3 \times 7 = 18$ (5, 7, 6)

$3 \times 8 = 27$ (9, 8, 7)

✏️ **확인 학습**

✚ 사용한 성냥개비는 모두 몇 개인지 곱셈식을 써서 구하세요.

$5 \times 4 = 20$ (개) $3 \times 7 = 21$ (개)

✚ 올바른 곱을 따라 길을 그리세요.

2×7 → 14 3×9 → 28 3×5 → 15

12   27   16

✚ 빈칸에 알맞은 수를 쓰세요.

$5 \times 4 = 20$ $3 \times 8 = 24$ $2 \times 7 = 14$

$3 \times 6 = 18$ $5 \times 9 = 45$ $2 \times 6 = 12$

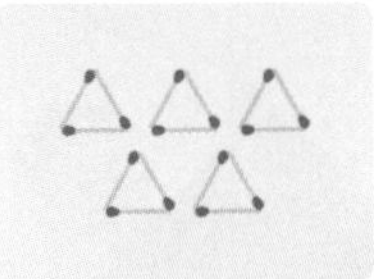

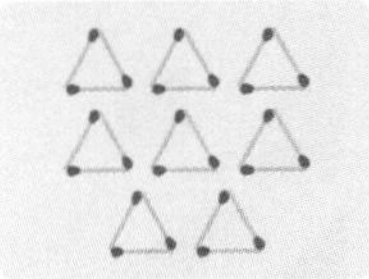

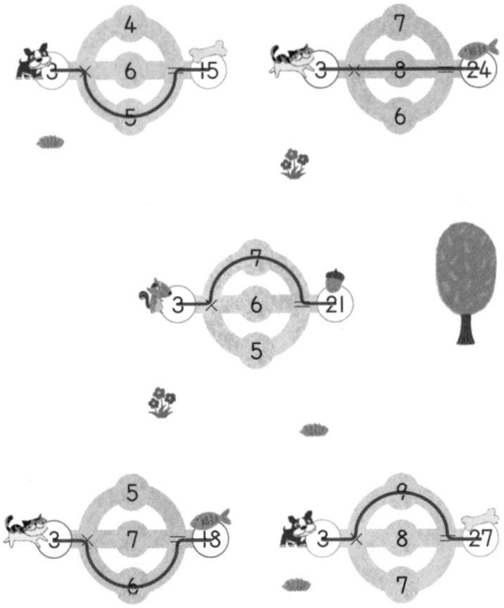

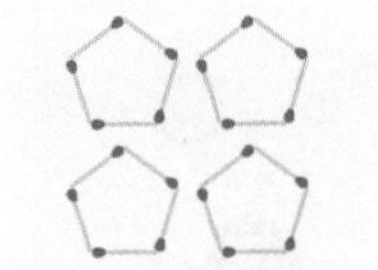

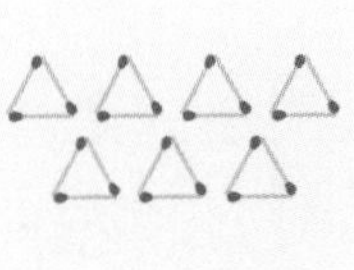

4주: 6단 곱셈구구와 2, 3, 5, 6단

1일 6단 곱셈구구 6에는 3단에 있는 수도 있어.

월 일

✚ 6단 곱셈구구를 완성하고 6단을 외워 보세요.

6단

$6 \times 1 = 6$ 육일은육
$6 \times 2 = 12$ 육이십이
$6 \times 3 = 18$ 육삼십팔
$6 \times 4 = 24$ 육사 이십사
$6 \times 5 = 30$ 육오삼십
$6 \times 6 = 36$ 육육삼십육
$6 \times 7 = 42$ 육칠사십이
$6 \times 8 = 48$ 육팔사십팔
$6 \times 9 = 54$ 육구오십사

6단 곱셈구구의 수를 차례로 따라가!

10	16	25	42	48	54
6	14	30	36	38	56
12	18	24	26	40	58

✚ 곱이 나타내는 수를 찾아 색칠하세요.

6×2 : 10, 12, 14, 13
6×8 : 46, 43, 42, 48
6×5 : 35, 30, 40, 25
6×6 : 38, 39, 42, 36, 32
6×9 : 50, 52, 53, 54, 56

44.4주

45

2일 6단 곱셈구구 연습 육육?육사?육팔?

월 일

✚ 개미의 다리는 모두 몇 개인지 곱셈식을 써서 구하세요.

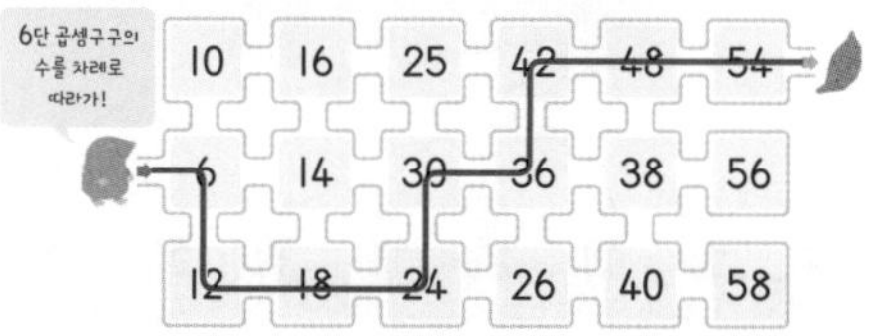

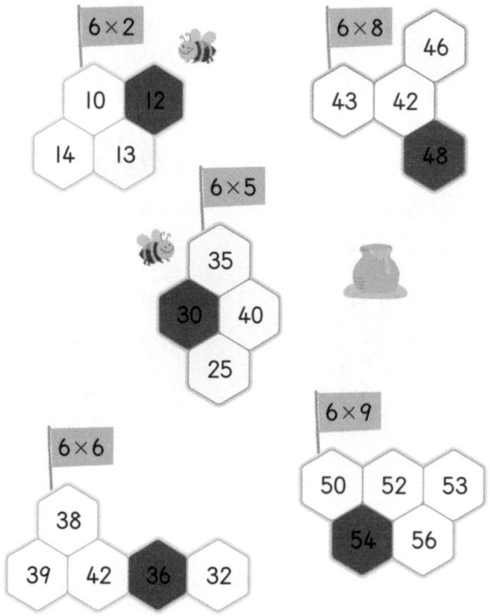

$6 \times 4 = 24$ (개)

$6 \times 6 = 36$ (개)

✚ 관계있는 것끼리 선으로 이으세요.

6×2 — 18
6×8 — 12
6×3 — 42
6×7 — 48

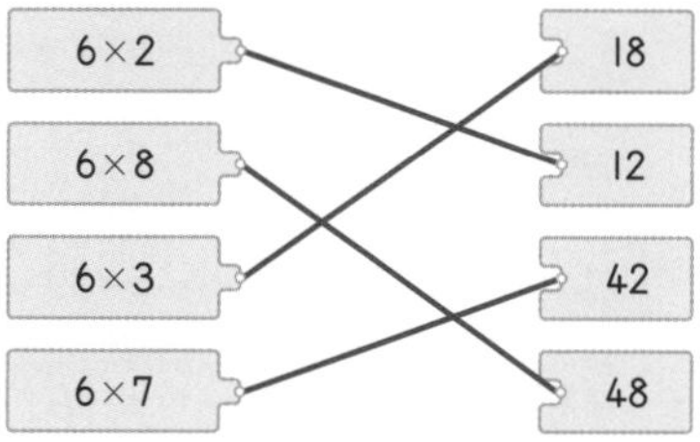

✚ 상자 4개를 쌓았습니다. 보이지 않는 상자에 적힌 수는 무엇일까요? 54

6×4 6×1
6×9 6×5

30
6 24

곱셈식 되에는 곱이 적혀 있어.

✚ 빈칸에 알맞은 수를 쓰세요.

$6 \times 4 = 24$ $6 \times 7 = 42$ $6 \times 5 = 30$

```
    6          6          6
  × 3        × 9        × 6
  1 8        5 4        3 6
```

46.4주

47

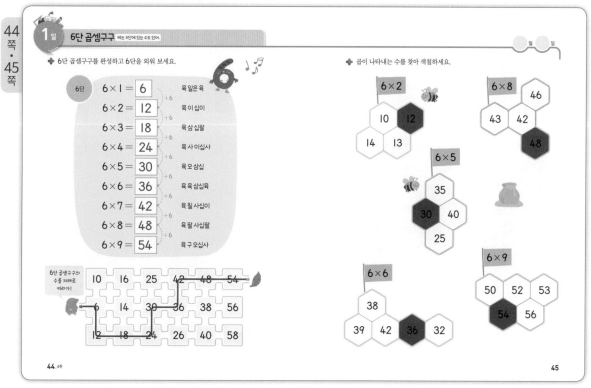

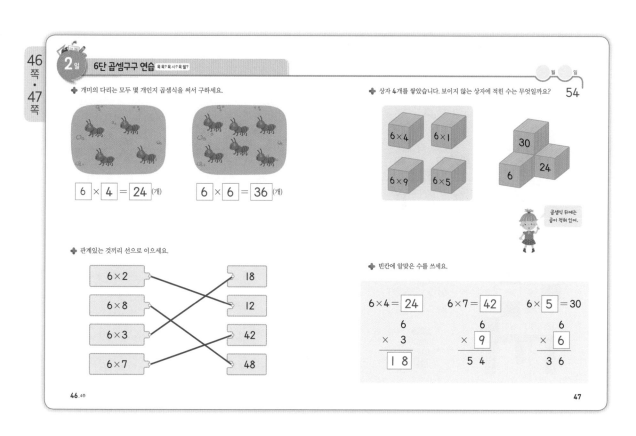

3일 3, 6단 곱셈구구 연습 3, 6단 곱셈구구를 거꾸로 외워 봐!

월 일

✚ 3단, 6단 곱셈구구를 거꾸로 완성하고 3단, 6단을 거꾸로 외워 보세요.

3단

$3 \times 9 = 27$
$3 \times 8 = 24$
$3 \times 7 = 21$
$3 \times 6 = 18$
$3 \times 5 = 15$
$3 \times 4 = 12$
$3 \times 3 = 9$
$3 \times 2 = 6$
$3 \times 1 = 3$

6단

$6 \times 9 = 54$
$6 \times 8 = 48$
$6 \times 7 = 42$
$6 \times 6 = 36$
$6 \times 5 = 30$
$6 \times 4 = 24$
$6 \times 3 = 18$
$6 \times 2 = 12$
$6 \times 1 = 6$

삼 구 이십칠,
삼 팔 이십사~

✚ 빈칸에 알맞은 수를 쓰세요.

$3 \times$
2	➡	6
8	➡	24
7	➡	21
5	➡	15

$6 \times$
5	➡	30
9	➡	54
4	➡	24
7	➡	42

✚ 관계있는 당근과 두더지를 선으로 이으세요.

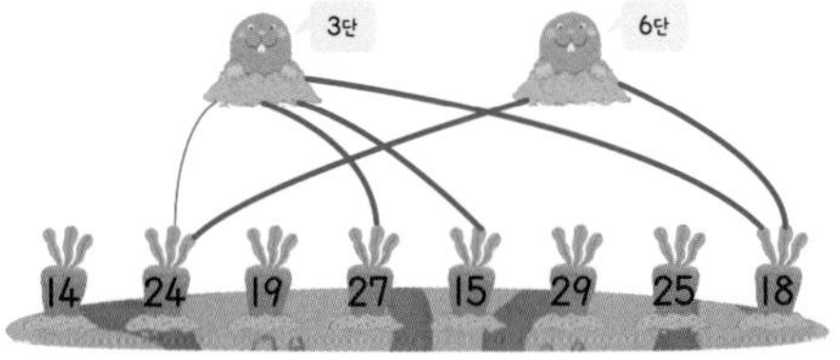

3단   6단

14 24 19 27 15 29 25 18

48.4주

49

4일 2, 3, 5, 6단 곱셈구구 연습(1) 곱셈구구를 섞어도 잘 할 수 있지?

월 일

✚ 주어진 곱을 찾아 색칠하세요.

| 3×7 | 2×9 |
| 5×4 | 6×6 |

삼 칠 이십일

12	32	24	**21**	(3×7)
26	15	22	30
36	19	34	42
14	**18**	**20**	16

30	24	**48**	12
6	9	15	20
8	46	**25**	10
18	50	**49**	**14**

| 5×5 | 3×2 |
| 2×7 | 6×8 |

오 오?

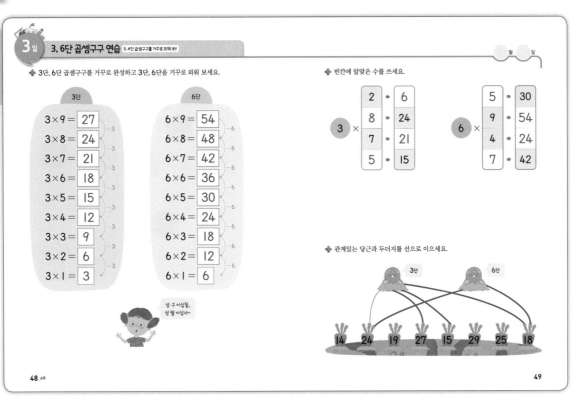

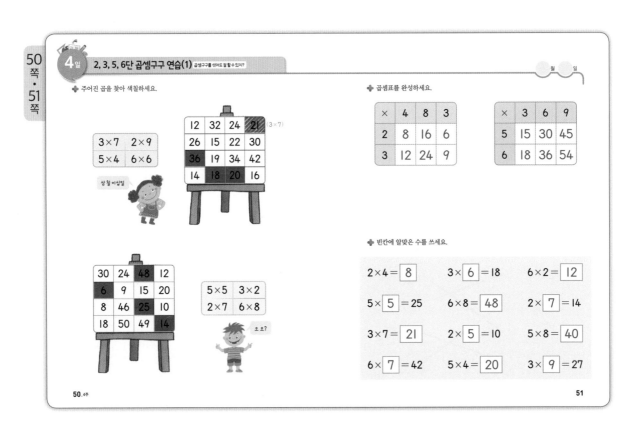

✚ 곱셈표를 완성하세요.

×	4	8	3
2	8	16	6
3	12	24	9

×	3	6	9
5	15	30	45
6	18	36	54

✚ 빈칸에 알맞은 수를 쓰세요.

$2 \times 4 = 8$ $3 \times 6 = 18$ $6 \times 2 = 12$

$5 \times 5 = 25$ $6 \times 8 = 48$ $2 \times 7 = 14$

$3 \times 7 = 21$ $2 \times 5 = 10$ $5 \times 8 = 40$

$6 \times 7 = 42$ $5 \times 4 = 20$ $3 \times 9 = 27$

50.4주

5일 2, 3, 5, 6단 곱셈구구 연습(2) 주어진 수가 어떤 단의 수인지 말해 봐

월 일

✤ 각 단의 곱을 모두 찾아 색칠하세요.

각 단의 곱은 2개씩 있어.

3단
10 19
12 27

6단
24 16
32 54

2단
13 6
18 5

5단
12 24
30 35

6단
26 36
48 50

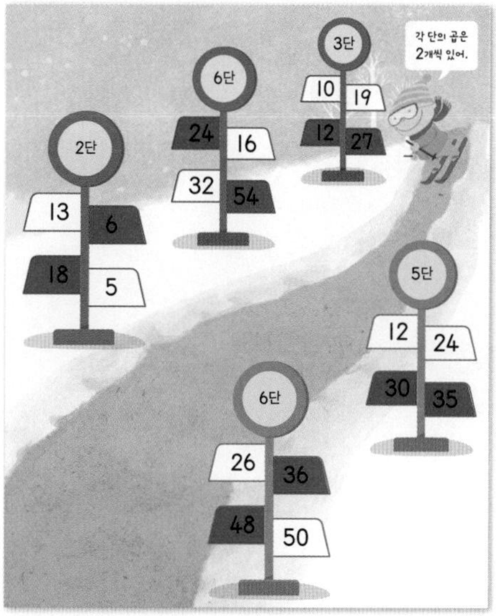

✤ 수 카드를 한 번씩 모두 사용하여 곱셈식을 완성하세요.

8 6 1
$2 \times 8 = 1 6$

3 6 0
$5 \times 6 = 3 0$

3단이니까 십의 자리에는 1 또는 2가 놓여.

2 1 4
$3 \times 4 = 1 2$

9 4 5
$6 \times 9 = 5 4$

5 7 3
$5 \times 7 = 3 5$

52. 4주

53

✐ **확인 학습**

✤ 각 단의 곱을 모두 찾아 색칠하세요.

6
×
4 9 3 6
↓ ↓ ↓ ↓
24 54 18 36

3
×
7 3 2 8
↓ ↓ ↓ ↓
21 9 6 24

✤ 각 단의 곱을 모두 찾아 색칠하세요.

2단
9 8
12 15

3단
23 15
14 21

5단
20 26
42 35

✤ 빈칸에 알맞은 수를 쓰세요.

$3 \times 4 = 12$ $2 \times 9 = 18$ $6 \times 9 = 54$

$5 \times 5 = 25$ $6 \times 4 = 24$ $3 \times 8 = 24$

54. 4주

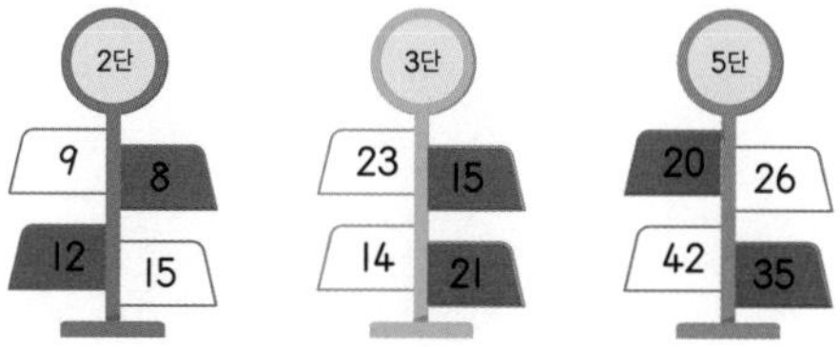

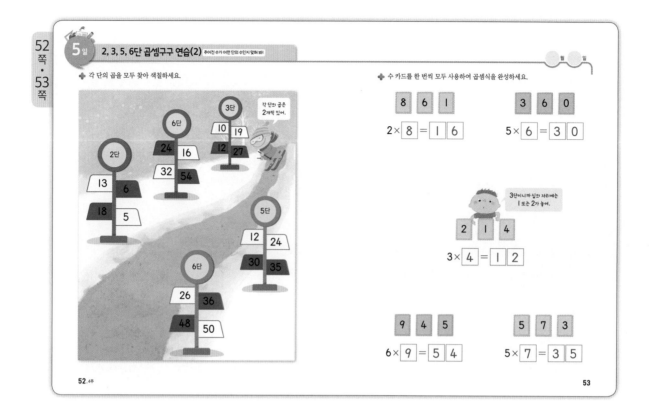

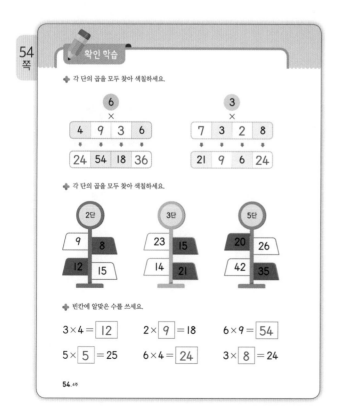

마무리 평가

1회 마무리 평가

제한 시간: 5분 | 맞은 개수: /12개

✏️ 주사위의 점의 수를 묶어 세어 보세요.

❶

4 씩 3 묶음

4 - 8 - 12

❷

5 씩 4 묶음

5 - 10 - 15 - 20

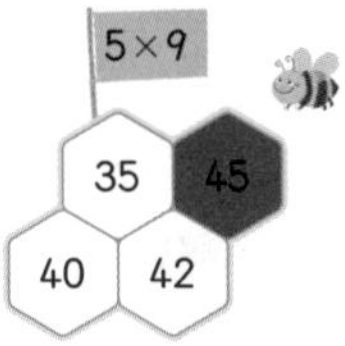

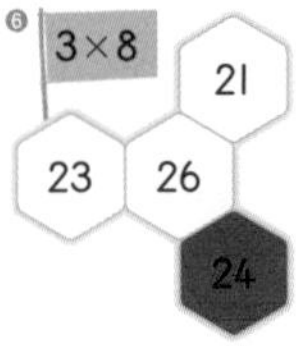

✏️ 구슬이 모두 몇 개인지 곱셈식을 2가지로 나타내어 구하세요.

❸

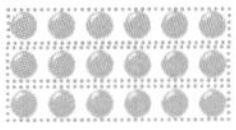

6 × 3 = 18 (개)

❹

3 × 6 = 18 (개)

✏️ 곱이 나타내는 수를 찾아 색칠하세요.

❺ 5×9

35 45
40 42

❻ 3×8

21
23 26
24

✏️ 빈칸에 알맞은 수를 쓰세요.

❼ 5×3 = 15   ❽ 3×5 = 15   ❾ 6×6 = 36

❿ 2×8 = 16   ⓫ 6×4 = 24   ⓬ 3×7 = 21

56 마무리 평가

57

2회 마무리 평가

제한 시간: 5분 | 맞은 개수: /11개

✏️ 오른쪽 두 사람이 가진 쿠키의 수는 정우가 가진 쿠키 수의 몇 배인지 쓰세요.

❶

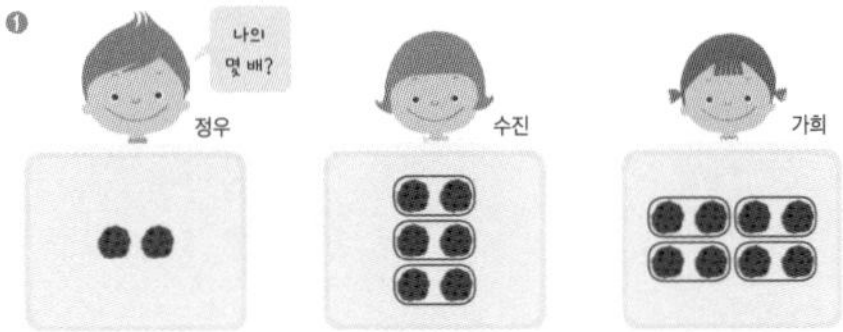

나의 몇 배?

정우   수진   가희

3 배   4 배

✏️ 두 곱셈식의 합을 이용하여 곱을 구하세요.

❷

    4 × 3 = 12
+) 4 × 5 = 20
    4 × 8 = 32

❸

    8 × 7 = 56
+) 8 × 2 = 16
    8 × 9 = 72

✏️ 손가락과 개미 다리는 각각 몇 개인지 곱셈식을 써서 구하세요.

❹

5 × 8 = 40 (개)

❺

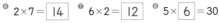

6 × 5 = 30 (개)

✏️ 빈칸에 알맞은 수를 쓰세요.

❻ 2×7 = 14   ❼ 6×2 = 12   ❽ 5× 6 = 30

❾   2
    × 9
   1 8

❿   3
    × 7
   2 1

⓫   6
    × 9
   5 4

58 마무리 평가

59

3회 마무리 평가

제한 시간: 5분 | 맞은 개수: /10개

✏️ 몇의 몇 배를 덧셈식으로 나타내어 구하세요.

❶ 8의3배 ➡ $8+8+8=24$

❷ 2의7배 ➡ $2+2+2+2+2+2+2=14$

❸ 5의6배 ➡ $5+5+5+5+5+5=30$

✏️ 두 곱셈식의 차를 이용하여 곱을 구하세요.

❹
$7 \times 5 = 35$
$-)7 \times 1 = 7$
$7 \times 4 = 28$

❺
$6 \times 7 = 42$
$-)6 \times 2 = 12$
$6 \times 5 = 30$

✏️ 곱셈표를 완성하세요.

❻
×	4	7
3	12	21
5	20	35

❼
×	9	6
2	18	12
6	54	36

✏️ 각 단의 곱을 모두 찾아 색칠하세요.

❽ 3단: 25 15 24 19

❾ 2단: 8 13 9 16

❿ 6단: 36 52 48 28

60. 마무리 평가   61

4회 마무리 평가

제한 시간: 5분 | 맞은 개수: /11개

✏️ 덧셈식을 곱셈식으로 나타내어 곱을 구하세요.

❶
$9+9+9+9$
$9 \times 4 = 36$

❷
$4+4+4+4+4+4$
$4 \times 6 = 24$

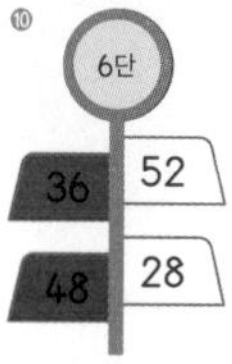

✏️ 2단 곱셈구구의 수를 차례로 지나 미로를 통과하세요.

❸
5	8	10	20	19
4	6	12	14	15
2	7	10	16	18
3	8	12	14	19

✏️ 알맞은 곱에 ◯표 하세요.

❹ 5×7 45 37 30 ㉟ 40

❺ 3×6 17 15 ⑱ 19 21

✏️ 빈칸에 알맞은 수를 쓰세요.

❻ $6 \times 4 = 24$ ❼ $2 \times 6 = 12$ ❽ $5 \times 5 = 25$

❾ $3 \times 9 = 27$ ❿ $2 \times 4 = 8$ ⓫ $6 \times 8 = 48$

62. 마무리 평가   63

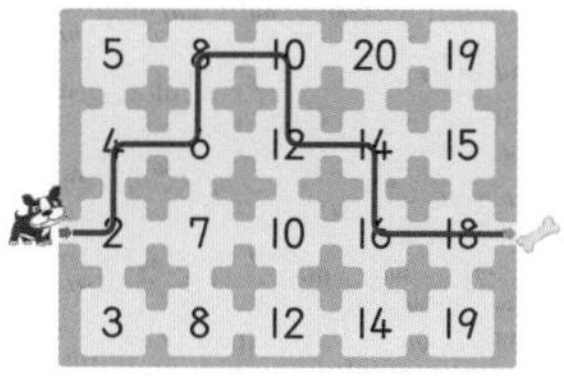

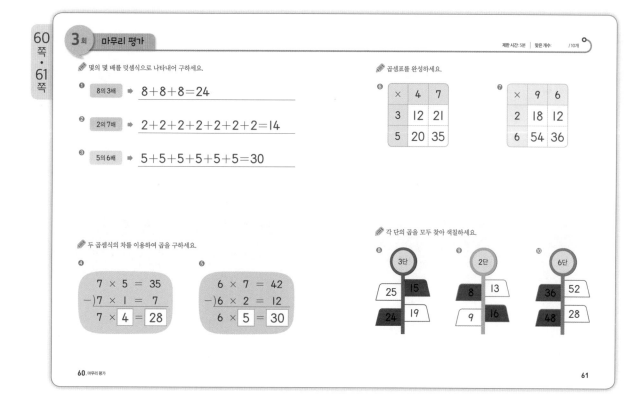

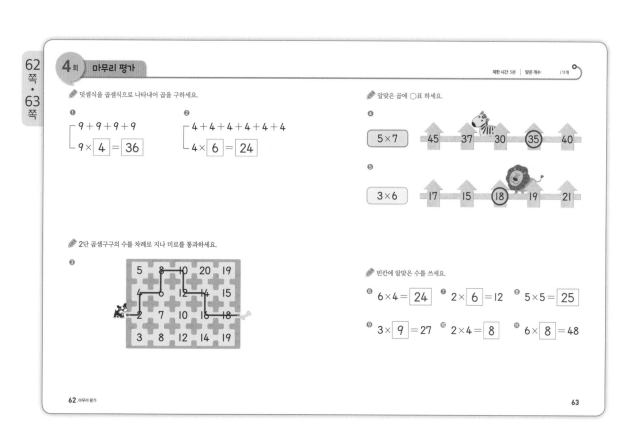

5 회 **마무리 평가**

제한 시간 5분 | 맞은 개수: / 10개

✏️ 나타내는 수가 다른 하나를 찾아 ✕표 하세요.

① 3의 5배 ~~(X)~~ 3씩 5묶음 3×5

② 7+7+7 7씩 3묶음 ~~(X)~~ 7의 3배

✏️ 빈칸에 알맞은 수를 쓰세요.

⑤ 5 × 4 ➡ 20 / 8 ➡ 40 / 7 ➡ 35

⑥ 3 × 8 ➡ 24 / 3 ➡ 9 / 6 ➡ 18

✏️ 사용한 성냥개비는 모두 몇 개인지 곱셈식을 써서 구하세요.

③ 5 × 3 = 15 (개)

④ 3 × 8 = 24 (개)

✏️ 수 카드를 한 번씩 모두 사용하여 곱셈식을 완성하세요.

⑦ 5 9 4
5 × 9 = 4 5

⑧ 8 6 1
2 × 8 = 1 6

⑨ 5 0 3
6 × 5 = 3 0

⑩ 1 2 7
3 × 7 = 2 1

64_마무리 평가

65

실력 평가

68쪽

칸토의 연산 초2 3권 **실력 평가**

① 2×5 = 10
② 5×3 = 15
③ 3×8 = 24
④ 6×4 = 24
⑤ 5×1 = 5
⑥ 2×9 = 18
⑦ 6×6 = 36
⑧ 3×5 = 15
⑨ 5×8 = 40
⑩ 6×7 = 42

⑪ 3×6 = 18
⑫ 6×2 = 12
⑬ 2×4 = 8
⑭ 5×9 = 45
⑮ 3×3 = 9
⑯ 2×8 = 16
⑰ 5×7 = 35
⑱ 3×9 = 27
⑲ 6×5 = 30
⑳ 2×6 = 12

68_실력 평가

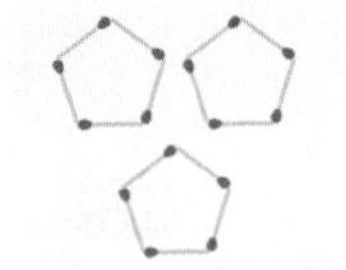

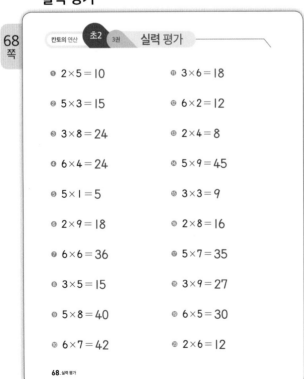

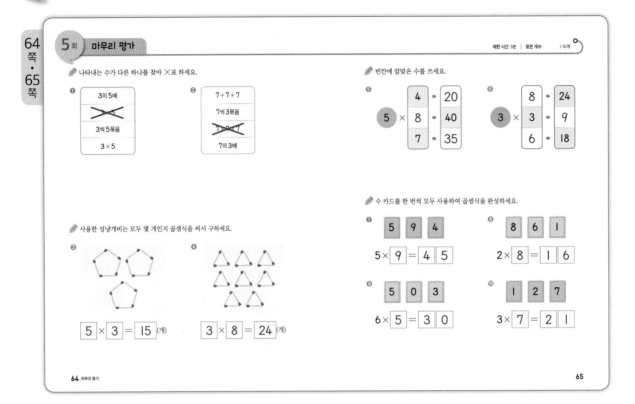

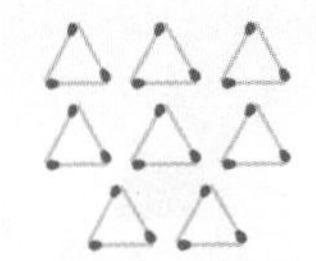

칸토의 연산

The essence of mathematics lies in its freedom.

수학의 본질은 그 자유로움에 있다.

Georg Cantor(1845 ~ 1918)

모 델 명: 칸토의 연산
제조년월: 2022년 12월 | **제조자명** : ㈜씨투엠에듀
주소 및 전화번호 : 경기도 수원시 장안구 파장로 7(태영빌딩 3층) / 031-548-1191
제조국명: 한국 | **사용연령** : 만 3세 이상

홈페이지 : www.c2medu.co.kr | **지원카페** : cafe.naver.com/fieldsm